FlamBus GReeN

FlamBus Green y sus amigos

FlamBus Green

¡El duende guardián más leal, valiente y «original» de todos los tiempos!

DiDi Culantrillo

La mejor amiga de Flambus y una de las más expertas curanderas jamás salidas de Saviablanca.

Trogló

Es un pequeño salvaje, se expresa con sonidos extraños y no se separa nunca de su tirachinas.

TIPOS DE DUSIG

Pulgarverde: duende aprendiz; inicialmente guardián de un árbol solo (simplex), luego de más de uno, hasta un máximo de nueve. Como cualquier duende silvano guardián, tiene desde su nacimiento los dos pulgares verdes, que contienen una pequeña cantidad de verdesavia.

Manoverde: duende experto; inicialmente guardián de los bosques pequeños, luego mayores, hasta los bosques seculares. Tras la ceremonia de investidura, la verdesavia se difunde por sus manos, con las que puede sanar a distintos árboles.

Viridius de zona: duende muy experto; responsable de una «zona verde» completa (coordina hasta novecientos noventa y nueve manoverdes). Su piel es de color verde claro porque la verdesavia se ha difundido por todo su cuerpo.

Viridius de área: duende destacado; responsable de una de las noventa y nueve «áreas subcontinentales» (coordina hasta novecientos noventa y nueve viridius). Su piel es de color verde intermedio.

ViRiDiUS CONSejeRO: duende sabio seleccionado entre los viridius de área. Los viridius consejeros son nueve y forman el Gran Consejo de los Guardianes. Permanecen en el cargo nueve años y asisten al Gran Viridius en sus decisiones. Su piel es de color verde oscuro.

Gran ViRDiUS: duende supremo; responsable mundial de todos los duendes silvanos guardianes. Permanece en el cargo noventa y nueve años y puede ser reelegido solo en una ocasión. En cualquier caso, no puede superar los seiscientos treinta años de edad. Es el único dusig de color verde muy oscuro porque en él la energía de la verdesavia es prácticamente ilimitada.

www.librosalfaguarainfantil.com

Todos los nombres y personajes de este libro, copyright de Edizioni Piemme S.p.A., son una licencia exclusiva de Atlantyca S.p.A. Todos los derechos reservados.

Texto de Roberto Pavanello
Cubierta original e ilustraciones de Stefano Turconi
Proyecto gráfico de Gioia Giunchi

© 2011 Edizioni Piemme S.p.A.
Via Tiziano 32. 20145 Milán, Italia
International Rights © Atlantyca S.p.A.
Via Leopardi, 8 – 20123 Milán, Italia
foreignrights@atlantyca.it
www.atlantyca.com

Título original: *Flambus Green. Operazione Balena*
Traducción de Marinella Terzi

© De esta edición:
2011, Santillana Ediciones Generales, S.L.
Torrelaguna, 60. 28043 Madrid
Teléfono: 91 744 90 60

Primera edición: septiembre de 2011

ISBN: 978-84-204-0787-6
Depósito legal: M-28.387-2011
Printed in Spain - Impreso en España por
Orymu, S. A., Pinto (Madrid)

Maquetación: Javier Barbado

Roberto Pavanello

FlamBus Green
OperaciÓn Ballena

Ilustraciones de
Stefano Turconi
Traducción de Marinella Terzi

ALFAGUARA
INFANTIL

«Yo, Flambus Green,
juro defender los árboles que me han sido confiados a costa de mi propia vida
y hacer buen uso de la verdesavia que recibiré en ofrenda»
(fórmula oficial de juramento utilizada en la investidura como viridius).

1.
Chof

Los dusig acostumbran a despertarse con la luz del sol.
Al alba o un poco antes.

Sin embargo, bien podría suceder que una mañana
de domingo no se vea nada por culpa de la niebla y
que la noche anterior uno de ellos haya regresado
muy tarde a la base. Con toda probabilidad, tras haber inspeccionado una colina boscosa del interior de
una ciudad de piernaslargas, montado a lomos su águila fiel.

Este, en efecto, era el único motivo de que el joven
viridius Flambus Green todavía durmiera profundamente en su casita de madera, a pesar de que el reloj
marcara ya las siete y media.

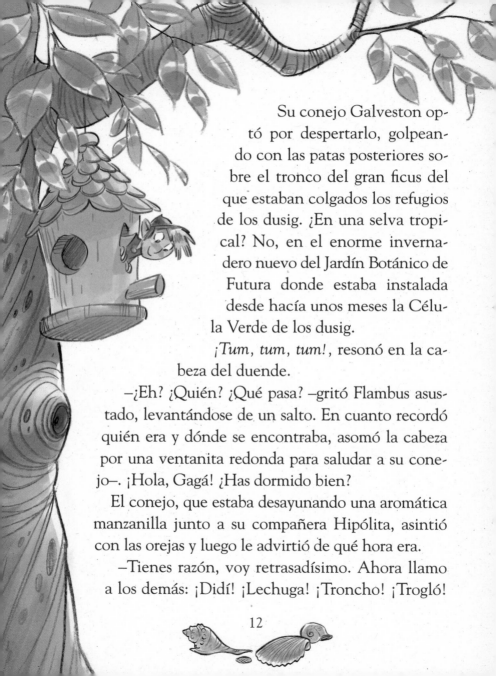

Su conejo Galveston optó por despertarlo, golpeando con las patas posteriores sobre el tronco del gran ficus del que estaban colgados los refugios de los dusig. ¿En una selva tropical? No, en el enorme invernadero nuevo del Jardín Botánico de Futura donde estaba instalada desde hacía unos meses la Célula Verde de los dusig.

¡Tum, tum, tum!, resonó en la cabeza del duende.

–¿Eh? ¿Quién? ¿Qué pasa? –gritó Flambus asustado, levantándose de un salto. En cuanto recordó quién era y dónde se encontraba, asomó la cabeza por una ventanita redonda para saludar a su conejo–. ¡Hola, Gagá! ¿Has dormido bien?

El conejo, que estaba desayunando una aromática manzanilla junto a su compañera Hipólita, asintió con las orejas y luego le advirtió de qué hora era.

–Tienes razón, voy retrasadísimo. Ahora llamo a los demás: ¡Didí! ¡Lechuga! ¡Troncho! ¡Trogló!

Despertaos, ¡tenemos un montón de cosas que hacer esta mañana!

Nadie respondió.

—Pero ¿dónde se han metido? —preguntó de nuevo el duende a los dos roedores que lo observaban masticando.

Flambus tuvo la impresión de que se reían de él bajo sus bigotes. Fue Hipólita, esta vez, la que movió las orejas para responderle.

—¿Ya han salido? ¿Tan pronto? ¿Y cómo es eso?

Flambus se deslizó por el tronco del árbol y salió al exterior. El Ninfea Park se hallaba inmerso en la niebla como una galleta dentro de un bol de leche: no se veía nada más allá de los primeros dos o tres metros. Pero fue suficiente para descubrir a un duende, más parecido a un cavernícola que a un dusig, embutido en un chaleco multibolsillos, que estaba peleándose con un palomo achacoso; este se negaba en redondo a dejarse cabalgar.

—¡Pajarrico rico rico! —gritaba el duende, agitando una mano peluda y llena de maíz tostado bajo el pico del ave. El palomo se acercaba dos pasos, pero en cuanto él alargaba la otra mano para agarrarlo, alzaba el vuelo. El dusig se enfurecía gritando y voceando

durante unos segundos, luego se calmaba, volvía a tenderle la mano con la comida, y la caza recomenzaba.

—¡Así no lo conseguirás jamás, Trogló! —le dijo Flambus—. Tienes que dejarle tiempo para comer, sin tocarlo. Cuando se fíe de ti, podrás acariciarlo. Y, con un poco de suerte, con el tiempo, cabalgar sobre él. Pero ¡con los animales no se puede tener prisa!

Trogló refunfuñó algo; luego, al ver que el palomo volvía a alejarse, se metió en la boca los granos de maíz que tenía en la mano y los masticó con rabia.

—¿Has visto a los demás?

—¡Uga! ¡Capitán!

—¿Con Prescott? ¿Y eso?

—¡Niños! ¡Buga!

—¿Timothy y Carlota? ¿Un domingo por la mañana? ¡Arándanos fritos! Pero ¿es que estos niños no duermen nunca?

El cuartito leonera que estaba justo detrás del invernadero era el único lugar que Horacio Prescott, el vigilante del Jardín Botánico de Futura, había mantenido exactamente igual. A los dusig les encantaba su aspecto algo salvaje. Lo habían rebautizado como el «refugio» y acudían a él en cuanto podían y por motivos muy diversos. A algunos les gustaba curiosear los fascinantes cacharros de los piernaslargas (Lechuga y Troncho se volvían literalmente locos por la radio), otros preferían probar algunas de las maravillosas galletas que había en una caja de lata verde oscuro (el más voraz era Trogló), o ayudar a Prescott cuando quería plantar bulbos de tulipán o preparar fertilizante natural (y no podía haber asistente mejor que la doctora Didí Culantrillo).

Pero aquella mañana fue otra cosa la que los condujo allí, y Flambus se dio cuenta enseguida, al acercarse a la puerta de cristal y oír la voz aguda de Timothy Bubble que explicaba con entusiasmo:

—¿Lo entendéis? El agua tiene un sonido particular. Los pueblos más antiguos lo sabían y producían música acuática.

—¿Y se mojaban al tocar un instrumento? —preguntó Lechuga.

—Pero ¡qué tontería de pregunta es esa! —la atacó como de costumbre su compañero Troncho.

Timothy se rio mientras Lechuga, ofendida, dejaba que Carlota la consolase. Flambus entró sin hacer ruido.

El viejo Prescott estaba tumbado en la hamaca mientras los demás duendes de la Célula Verde, sentados sobre la mesa, escuchaban en semicírculo a los dos hermanos. Solo Didí descubrió la presencia de Flambus y le hizo un gesto de saludo.

—¡Verdes días, Flam! ¿Has dormido bien?

El duende se sonrojó avergonzado.

—Muy bien, gracias… Ejem… ¿qué pasa aquí?

—¡Hola, Flambito! —lo saludó Tim—. Has llegado en el momento justo: les estaba explicando a tus amigos que se puede hacer música también con el agua.

—Me alegra mucho, pero yo…

Tim prosiguió impertérrito:

—Muchos músicos famosos se inspiraron en los sonidos del agua para sus composiciones. Basta pensar en el hermoso *Danubio azul* de Strauss, en el *Moldava* de Smetana, en la *Música acuática* de Haendel… y algunos hasta inventaron curiosos instrumentos musicales que funcionan con agua: flautas, carillones, órganos…. ¿Queréis escuchar alguno?

—Bueno, sí… ¡tal vez en otra ocasión! —respondió Flambus—. Yo he venido porque…

—Relájate, querido —le gritó Prescott desde la hamaca—. ¡El planeta puede esperarte diez minutos!

—Lo sé, Horacio, pero tenemos que…

—¡Venga, jefe! Solo un *minitito*… —le rogó Lechuga.

—Sí, jefe —la apoyó Troncho—; ¿qué es un *miniti*… ¡uf!, un minutito?

—Vaaale —aceptó al final Flambus saltando sobre la mesa—. Pero ¡dejad de llamarme «jefe»!

El chico le sonrió.

—Escuchad lo que he encontrado en Internet —dijo encendiendo el portátil que tenía delante.

Los duendes se aproximaron al ordenador. Timothy apretó un botón y de repente… *¡BUUUM!* Algo se estampó contra la puerta del cuartucho. Todos salieron corriendo. Frente a la entrada encontraron a Trogló y a su palomo, enredados en una maraña de plumas y pelos.

El duende sonrió con sus dientes amarillos y, colocándose derecho sobre el ave, proclamó con orgullo:

—¡Pajarrico vuela! ¡Uga-buga! Yo llamo *¡Chof!*

Y, ante la incrédula mirada del resto del grupo, la extraña pareja despegó ladeándose peligrosamente.

2.
Las Ballenas no son peces

El puerto de Futura era una verdadera «ciudad dentro de la ciudad».

Y, como corresponde, estaba en constante actividad, de día y de noche. Había embarcaciones de todo tipo que entraban y salían: transatlánticos habilitados para cruceros, tan altos como edificios, y anchas gabarras de transporte cargadas de contenedores. Transbordadores en cuyas tripas desaparecían decenas de coches y camiones, y remolcadores que podían llevar a puerto barcos de todas dimensiones. Y también buques mercantes, barcos cisterna o frigorífico, barcas de pesca, yates, lanchas, canoas, veleros y hasta barcas de remos. En resumen, ¡un auténtico batiburrillo marinero!

La primera vez que los dusig sobrevolaron la zona para echar un vistazo acabaron un poco aturdidos. Resultaba obvio que el mar no era su ambiente natural, pero en aquel caso al mar había que añadir, además, la presencia ruidosa y caótica del ser humano, que como hacía siempre en cualquier lugar de la Tierra, se comportaba como si fuera el dueño y señor del universo, sin mostrar ningún respeto por las costas y por los habitantes del océano.

Los únicos animales que convivían con el caos del puerto eran las gaviotas, pero solo porque esperaban comer de balde las sobras de la cocina o los desechos de la pesca de las distintas embarcaciones. Por lo demás, peces y moluscos se mantenían prudentemente alejados de aquella confusión horrorosa, con enorme rabia por parte de los pescadores que salían los domingos y se quejaban de no conseguir atrapar nada de nada.

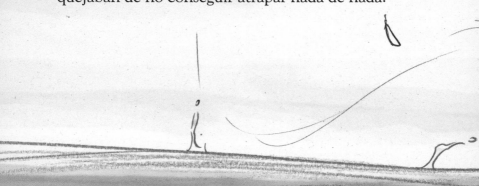

Sin embargo, si aquella mañana se hubieran alejado tan solo dos kilómetros de los muelles donde tiraban habitualmente el anzuelo, ¡habrían tenido una sorpresa inmensa!

Pero el frío y la niebla vuelven perezosa a la gente, y también a los pescadores domingueros. Solo un duende peludo y barbudo tuvo el coraje de recorrer las costas de la bahía, a la grupa de un palomo agotado que no dejaba de perder altura. Cuando el pobre se hallaba a un metro del agua, su piloto comenzaba a gritar a voz en cuello y, entonces, con un desesperado batir de alas, el ave lograba subir, evitando zambullirse dentro. Cualquiera que lo viese volar de lejos, pensaría que estaba

borracho. En realidad, solo tenía dificultades por cargar con el peso de Trogló, que para ser un dusig estaba mucho más gordo de la cuenta.

En una de esas bajadas involuntarias, Chof llegó a rozar la superficie del agua con las patitas y el propio Trogló se mojó la punta de los pies. De puro milagro no acabaron empapados, pero mientras reemprendían la subida con grandes dificultades, el duende dejó de insultar al palomo y se puso a mirar al mar. En cuanto comprendió, a pesar de la niebla, lo que había allá abajo empezó a saltar sobre la grupa del pobre animal exigiéndole que volviera atrás:

—¡Uga, Chof! ¡Casa! ¡Casa!

Este viró, de manera bastante elegante, todo hay que decirlo, y apuntó derecho hacia «La Base» (así habían rebautizado los dusig a su encantadora aldea construida sobre el ficus del invernadero).

En ese momento, al calorcito del refugio de Prescott, humanos y duendes se hacían mutua compañía mientras comían galletas de mantequilla y saboreaban un té, al que Didí había añadido flores de acacia y polvo de

jengibre para servir después en pequeños dedales de porcelana blanca y azul. Tim les había puesto por fin los sonidos acuáticos que tenía almacenados en su ordenador: borboteos, chapoteos, cascadas, salpicaduras y, sobre todo, silbidos, murmullos, chillidos agudísimos y ecos misteriosos emitidos por focas, lobos marinos, leones de mar, diversas especies de pingüinos, delfines, grandes cetáceos y muchos otros habitantes de las superficies y las profundidades marinas.

—¡Qué fuerte! —aprobó Lechuga—. ¡No sabía que los delfines hicieran *choc-choc* con la boca!

—Sí, es increíble —observó Prescott—. ¿Y qué pretendes hacer con esto, niño?

—Tengo en mente escribir una especie de «sinfonía acuática» —respondió Tim— o tal vez solo canciones, quién sabe…

—Bueno, me parece que podrás utilizar todo el material. ¡Buen trabajo! —le cortó Flambus, que tenía prisa por volver a las labores propias de la célula.

—Yo también lo creía —replicó Timothy—, hasta que mi padre me puso en contacto con Lester Lamprea.

—¿Quién es? ¿Un pez? —preguntó Troncho.

—No, es un famoso oceanógrafo.

—¿Qué es un *cenógrafo*, Tintín? —preguntó Lechuga.

—Un oceanógrafo es el que estudia la vida de los océanos. El profesor Lamprea trabaja en el CIM, el Centro de Investigaciones Marinas de Futura. Cuando mi padre le dijo que yo estaba componiendo música «acuática» me permitió acceder a su archivo utilizando su nombre. Escuchad…

Las manos del chico corrieron veloces por el teclado del ordenador y la página del CIM se abrió con una imagen verdeazul del mar.

–Lo que vais a oír a continuación fue registrado en el mar de Futura. Adivinad qué lo causa…

Por el aire se esparció un canto melancólico y apacible, un sonido mágico y aflautado que los hechizó a todos. Ninguno de los piernaslargas presentes, y los dusig menos, había oído en su vida nada parecido. Pero, inexplicablemente, Lechuga lo acertó a la primera:

–¡Yo sé lo que es! ¡Son ballenas!

–¡Bravo, Lechu! –la felicitó Tim haciendo que se sonrojara–. Es maravilloso, ¿verdad?

–¡Coles de Bruselas! –exclamó Troncho–. ¡Cantan bien!

–En realidad no están *cantando*. Están hablando entre ellas…

–Vete a saber lo que se dirán –observó Didí.

–Nadie lo sabe –comentó Carlota–. Los científicos están indagándolo todavía.

—No es verdad, yo sé lo que dicen las ballenas —insistió Lechuga—. Una está llamando a las demás porque en el lugar donde se encuentra tiene mucha comida.

—¡Deja de una vez de hacerte la listilla! —la reprendió Troncho—. ¿Desde cuándo una duende de campo como tú entiende lo que dicen los peces?

—Pero ¿ves lo *igorante* que eres? Las ballenas no son peces, ¡son *mamáferos*! ¡Y se da el caso de que yo estudié el «ballenés»!

—Si no dejas de decir bobadas, yo te…

—¡Parad los dos! —los regañó Flambus, pero justo en ese momento otro sonoro *¡BUUUM!* interrumpió la conversación.

Volvieron a salir todos del cuartucho y se encontraron de nuevo con la misma escena: Trogló estaba en el suelo, enredado a su palomo, escupiendo las plumas que tenía en la boca y le impedían hablar.

—¿Sabes, Trogló? —dijo Didí riendo—. ¡Chof es un nombre de lo más adecuado!

3.
¡TODOS a Bahía Gota!

Flambus todavía no entendía por qué estaba sobrevolando el puerto de Futura montado sobre un milano negro.

A su derecha iban Troncho y Lechuga sobre Almíbar, su gaviota, y a su izquierda, Trogló sobre su palomo achacoso. Si no hubiera sido por la gran variedad de pelos y plumas de las aves, casi habrían parecido una PVD, una Patrulla Volante Dusig. Pero así más bien recordaban un tropel de vagabundos. En cuanto al milano, lo conducía Didí. No es que Flambus no se fiara de ella. Al contrario. Además de tratarse de la mejor curandera salida de Saviablanca en los últimos cincuenta años, la doctora Culantrillo, hija del Gran Viridius en persona, era también una magnífica piloto de rapaces.

El problema
era que Flambus
no quería ir a la playa.
Y tampoco que lo hiciera su
Célula Verde. Pero no solo esta-
ban haciendo justo lo contrario, sino que ni siquiera
era capaz de explicarse cómo habían llegado a ello.

Trató de rebobinar los hechos ocurridos en el último
cuarto de hora y llegó a una conclusión desconsoladora
que expresó en voz alta:

–¿Sabes, Didí? Creo que no soy la persona adecuada
para capitanear…

–¡No lo digas ni en broma! –le reprendió ella–. ¡Has
dado mil veces pruebas de lo contrario! Ahora deja de
lloriquear y ayúdame a no perder la orientación.

Los dusig estaban atravesando los bancos de niebla en
dirección a la costa. Acababan de cruzar todo el perímetro
del puerto hasta superarlo. Flambus volvió con la mente a
la pregunta inicial: ¿por qué, en lugar de terminar la carto-
grafía de los árboles de la ciudad, estaba perdiendo el tiempo dando vueltas por el mar, justamente el hábitat más
alejado de la vida de los dusig? Las cosas habían ido así…

Tras la precipitada irrupción de Trogló en el despacho de Prescott, el duende, presa de una extraordinaria excitación, había comenzado a farfullar trozos de frases, llenas de palabras incomprensibles en su mayor parte, como:

—Llí, llí... bajo, bajo... Uga... gande, gande...

—¡Despacio, Trog! Así no te entendemos —trataba de calmarlo Flambus—. Grande... ¿el qué?

—Uga, gande cooola... Buga, gaande, beeeza...

—¿Has visto un animal grande? ¿Un elefante?

—¡No, no, no! Mar... mar... una... ¡BALLENGA! ¡GAAANDE BALLENGA!

—¿*Ballenga?* —repitió Flambus mirando confuso a los demás.

—¡Una BALLENA! —intuyó Lechuga al fin—. ¿Verdad, *Troglón?*

—¡Uga-uga! ¡BALLENGA! ¡BALLENGA!

—¿Y dónde la has visto? ¿Te acuerdas?

Hicieron falta diez minutos más de tartamudeos, un mapa de la zona y algún que otro garabato en un papel para conseguir localizar con precisión el lugar del avistamiento.

—¡Yo conozco esa parte de la costa! —dijo Carlota en cuanto lo entendió—. He ido unas cuantas veces a pintar con las acuarelas. Creo que Trogló ha sobrevolado Bahía Gota. Es una pequeña ensenada poco profunda, más o menos a un par de kilómetros del puerto. Todos los días se llena con la marea alta y se seca con la baja.

—¿Es eso, Trogló? —preguntó Flambus—. ¿Has visto una *ballenga*… quiero decir, una ballena en esa bahía?

—¡Bahía, bahía! ¡Uga-buga! —confirmó él con vigor.

—Pero ¿qué hace una ballena tan cerca de un puerto? —se preguntó Tim—. Es un poco extraño, ¿no os parece?

—Ya, muy extraño… —aceptó Carlota—. Algo me dice que ese animal podría estar en apuros.

—¿Os parece que vayamos a echar un vistazo? —propuso entonces Timothy.

—¡Estoy de acuerdo! —dijo Troncho emocionado.

—¡Yo también, pobre *bailarina!* —se conmovió Lechuga—. ¡No podemos dejarla allí sola!

—¡Viene! ¡Buga! —sentenció Trogló golpeándose el pecho peludo.

Llegados a ese punto, al ver tanto entusiasmo, Flambus intervino con decisión:

—¡Por todos los tubérculos! ¡Calmaos un momento! ¿Debo recordaros que somos dusig, duendes silvanos guardianes? El Gran Consejo nos invitó a integrarnos entre los piernaslargas para ocuparnos del Abrigo Verde, las plantas y las flores. No del mar ¡y menos de sus habitantes! ¡Que no se mueva nadie sin mi permiso!

—Pero, Flambus, yo no te entiendo —replicó Didí—. Todos los seres vivos, animales o plantas, forman parte del gran mundo de la naturaleza. No existirían las plantas sin los animales, ni los animales sin las plantas.

—La señorita *Culontrillo* tiene razón, jefe. Sin la hierba no existirían las vacas y sin las vacas no existiría la leche y sin la leche no…

—¿Quieres cerrar la boca? —la hizo callar Troncho, resoplando.

—Vamos, Flam, sé razonable —continuó Didí—. No podemos ignorar una emergencia como esta.

—¿De qué emergencia hablas, Didí? Ni siquiera estamos seguros de que ese animal se encuentre en peligro.

—En eso te doy la razón —dijo Didí chasqueando los dedos—. Si no vamos a verlo, no podemos estar seguros. ¿Nos llevamos a Alcántara?

—¿Mi águila? Cómo voy a…

—¡Nosotros vamos con Almíbar! —trinó con entusiasmo Lechuga.

—¡De acuerdo! Pero ¡que quede claro que conduzco yo! —precisó Troncho—. La última vez que fuiste tú delante ¡casi nos matamos!

—Saco mi bicicleta —añadió Prescott—. Vosotros los dusig id delante. La bahía se ve desde lejos.

Flambus, desbordado por toda aquella animación, trató de detenerlos:

—¡Un momento! ¡A lo mejor no he sido lo suficientemente claro! He dicho que…

Pero Timothy lo interrumpió una vez más:

—Yo también voy en bici. De aquí al puerto hay unos veinte minutos. ¿Y tú, Carlota?

—No te preocupes, llevo los patines en la mochila. El tiempo de ponérmelos y estoy con vosotros. ¿Quieres que llevemos también a los conejos a la bahía, Flambus?

—Pero… yo… no quiero absolutamente nada, yo…

—Sí, tienes razón. No hay necesidad de arriesgarse. Es mejor que vayamos nosotros solos. Entonces, ¡nos vemos allí! —y Carlota traspasó la puerta.

—¡Gracias por la colaboración, Flambito! —se despidió Tim antes de hacer lo mismo—. ¡Sabía que no te echarías atrás!

Trogló emitió un gruñido de despedida y salió para reunirse con su palomo.

En ese instante, Flambus, que todavía tenía el dedo levantado desde la última vez que lo habían interrumpido, miró a Didí Culantrillo con incredulidad y le preguntó:

—Dime una cosa, Didí: ¿por qué no consigo nunca hacerme entender?

—¡No es cierto, Flam! Yo te he entendido a la perfección: no tienes ganas de llamar a Alcántara. No hay problema, iremos con Quilber, mi milano.

Y dicho y hecho: salió, se metió en la boca el silbo (el silbato reglamentario que todos los dusig de alta

graduación deben llevar al cuello) y lanzó un pitido de reclamo largo y agudo.

Diez minutos más tarde, despegaron juntos, en dirección al puerto, sobre el lomo de Quilber.

Así habían ido las cosas.

El grito de Didí hizo que Flambus se apartara bruscamente de sus pensamientos.

—¡Ahí está! —gritó la duende señalando una ensenada de la costa—: ¡Bahía Gota!

Planearon con delicadeza hasta el suelo, seguidos por Troncho, Lechuga y Trogló, que no hizo un aterrizaje muy perfecto que digamos.

Prescott y los dos hermanos no habían llegado todavía. Decidieron no esperarlos y se acercaron con cuidado a la orilla, imprimiendo sobre la arena sus minúsculas huellas (Lechuga, que caminaba detrás de Troncho, trataba de meter sus zuequitos en el rastro que dejaba su compañero, pero eso la hacía caer de narices cada dos o tres pasos). Cuando alcanzaron el estrecho espejo de agua salada, se detuvieron y examinaron enmudecidos la escena que se presentó ante sus ojos: ¡por encima del nivel del mar emergía como una isla el lomo oscuro y brillante de una ballena gigantesca!

4.
Encuentros
subacuáticos

Todos los dusig saben desde hace siglos que la luna influye en el crecimiento y la salud de las plantas.

Didí recordaba todavía las clases de selenología en el Centro de Alta Especialización de Saviablanca. «El baño de luna no solo protege las plantas de los parásitos –les explicó el profesor Algarrobo mientras los llevaba al bosque una noche de plenilunio–, también las refuerza de cara al invierno. Personalmente estoy convencido de que le viene bien también a los huesos, por eso, si me lo permitís, voy a concederme media horita de cura mientras vosotros recogéis vuestras muestras de almizcle». Y dicho y hecho, se desnudó, se quedó con un bañador rojo grosella y se tumbó sobre el prado a tomar «el baño de luna».

Afortunadamente sus enseñanzas no se limitaban a las plantas, hacían referencia también al influjo de la luna en el embotellado del vino de castañas o en el humor de los conejos, y también en el ir y venir de las mareas: una cuestión esta que jamás les interesó demasiado, viviendo la mayor parte de los dusig muy lejos del agua salada. Pero, una vez llegados a Futura, las cosas para Flambus y sus amigos cambiaron sustancialmente y una de las primeras enseñanzas de Prescott se refirió justo a los movimientos del mar que había frente a la ciudad, donde el ciclo de las mareas cambiaba todos los días.

Este es el motivo de que los cinco duendes mirasen angustiados al pobre cetáceo que yacía en medio de la pequeña bahía, incapaz de moverse en una dirección u otra.

Didí observó preocupada el nivel ya bajo del agua.

—Carlota ha dicho que todos los días la bahía se queda seca cuando baja la marea —dijo en tono grave—. Esta ballena se arriesga a permanecer encerrada aquí

dentro si no consigue regresar a mar abierto. ¿Es posible que nadie se haya dado cuenta todavía?

–Con esta niebla no me sorprende –comentó Flambus–. Pero ¿cómo habrá acabado en este lugar?

–¿Queréis que se lo pregunte? –se ofreció Lechuga.

–¡Cómo no! –le tomó el pelo Troncho–. ¿Por qué no le preguntas también si Moby Dick es su tía?

–Eres el típico *pruto*. Mira que yo…

–Eh, pero ¡¿qué pasa?! –gritó Flambus fijando la vista en el agua oscura del mar que había empezado a rebullir.

Todos dieron un paso hacia la orilla para observar mejor aquel extraño espectáculo. Parecía que alguien estuviese bombeando aire en torno al cetáceo.

–¡Ahí abajo hay algo que se mueve! –gritó Troncho.

–¡Uga-buga! –asintió Trogló–. ¡Peces!

–¿Peces? –se asustó Lechuga–. ¡Santa Manzanillita! ¡Quizá sean *parañas*! ¿Y si se la comen?

A Troncho solo le dio tiempo a decir «¡Las pirañas son peces de agua dulce, boba!» cuando el valiente Trogló ya se había zambullido en el agua para socorrer a la ballena al grito de «¡Ugaaa! ¡Mí salva!».

–Pero ¿qué coles haces, Trog? –le gritó Flambus–. ¡Tú no sabes nadar!

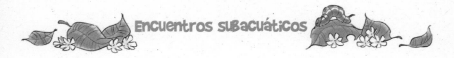
El duende, que ya se había alejado bastante de la orilla, levantó la cabeza y lo miró sorprendido.

–¿Mí no nada? –preguntó abriendo los ojos de par en par como si descubriera la verdad justo en ese instante. Luego comenzó a gesticular frenéticamente y, antes de que alguno de ellos pudiera intervenir, fue engullido por el mar, oscuro y turbulento.

–¡Oh, erizos fritos! –exclamó Troncho–. ¡Vaya lío, vaya lío!

Didí no perdió el tiempo. Se montó sobre Quilber y se puso a sobrevolar la bahía en busca del dusig desaparecido.

–¡Trogló! –gritaba a voz en cuello–. ¿Dónde estás, Trogló?

–¡Deprisa! –ordenó entretanto Flambus a Troncho y a Lechuga–. ¡Escala duendística! Trataré de descubrir dónde está.

Los miembros de la Célula Verde se pusieron en marcha rápidamente, recordando las enseñanzas aprendidas en el curso de primeros auxilios de Saviadoro, cuando todavía eran simplex. Troncho entró en el agua hasta la rodilla, llevando a Lechuga sobre los hombros, y sobre ella iba Flambus, que trató de inclinarse lo más posible hacia el punto por el que Trogló había desaparecido. Por desgracia, Troncho no aguantó el peso, perdió el equilibrio y los tres terminaron en el agua, de donde Didí se vio obligada a rescatarlos.

Estaban a punto de desesperarse cuando algo saltó fuera del agua como el proyectil de un cañón y llegó propulsado hasta la orilla.

—¡Trogló! —gritó Flambus corriendo hacia el duende, milagrosamente a salvo. Estaba recubierto por completo de algas verdes y tosía sin parar; escupía piedrecillas blancas y trozos de conchas.

–¿Qué ha pasado? ¿Quién te ha sacado fuera?

El pequeño cavernícola asumió una expresión soñadora y luego respondió:

–¡Uga! ¡Ella beee… lla!

–¿Beee…? ¿Le ha salvado una oveja? –preguntó Lechuga.

–No –insistió él–. ¡Ella bellísima! ¡Uga! ¡Llí! –añadió señalando el mar.

Todos se giraron. Una figurilla vivaracha, de piel azul y larga melena de color plata emergió hasta la cintura, cubierta por una especie de bañador irisado. A su alrededor había una decena de seres azulados; algunos llevaban extraños sombreros retorcidos y una suerte de coraza hecha de madreperla, y observaban a los cinco dusig con mirada torva. Tenían los ojos color agua, las manos y los pies palmeados, y orejas puntiagudas, muy parecidas a las de los duendes normales.

–¡Cabeza de cefalópodo! –bramó enfurecida la criatura femenina–. ¡Feo monstruo peludo! ¡Pez globo de dusig! Si apareces por aquí otra vez, te echo a patadas, ¿lo has entendido? ¡Y agradece que mis hermanos y yo

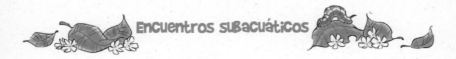
no hayamos dejado que te ahogaras! —dicho lo cual, volvió a sumergirse bajo la espuma azul de la que había salido, seguida por sus semejantes.

Todos se quedaron mudos, a excepción de Trogló que le envió un beso con la mano, mientras repetía:

—¡Beeellísima!

—¡Salvia, perejil y romero! ¡¿Quiénes son esos?! —exclamó Troncho con una sonrisa incrédula (más o menos la misma expresión que mostraban los rostros de Lechuga y Trogló).

—¡Waterfolk! —explicó la doctora Culantrillo con aire de haberlos visto antes—. Son duendes acuáticos y digamos… que no son nuestros mejores amigos.

—Algunos los llaman «cabezas saladas» —precisó Flambus, dando muestras de estar también en el ajo—, pero os aconsejo no hacerlo porque se ofenden mortalmente.

—¡Entendido, jefe! —concluyó Lechuga con seguridad—. Los llamaremos por su nombre y punto: ¡*Uoterflop*!

—¿Tú crees que han venido aquí por la ballena, jefe? —preguntó Troncho.

—Es probable —respondió él—. Y si lo que he oído sobre ellos es cierto, tal vez sean los únicos que puedan salvarla.

5.
HaBlando
«Ballenés»

Pocos instantes después, el agua volvió a rebullir.

Los waterfolk estaban trabajando otra vez alrededor del pobre animal encallado. Didí calculó que debían de ser por lo menos un centenar, pero a pesar de sus esfuerzos la ballena se limitaba a apoyarse a duras penas sobre un flanco o sobre el otro, sin moverse de donde se hallaba.

Los dusig siguieron los distintos intentos con inquietud. En un determinado momento, Troncho se puso a gritarles consejos:

—¡Por la cola! ¡Hay que empujarla por la cola!

Dos duendes acuáticos salieron del mar rechinando los dientes.

–¿Por qué el agua está azul? –preguntó Lechuga, adelantándose.

–Es el color del marbálsamo –explicó nuevamente Didí–, una sustancia aceitosa que los waterfolk tienen en la punta de los dedos. Digamos que provoca los mismos efectos sobre las criaturas marinas que la verdesavia en las plantas.

Troncho puso cara de admiración, luego se volvió y se dio cuenta de que Lechuga había metido en el agua una especie de trompeta que había cortado de una raíz seca y nudosa. Tenía una oreja apoyada encima y escuchaba con los ojos cerrados.

–¿Se puede saber qué demonios estás haciendo con esa cosa? –le preguntó con su acostumbrada brusquedad.

–No es una «cosa». Se llama eslicuófono y se emplea para oír los sonidos *subacuó*…

El duende alzó los ojos al cielo.

–¿Ah, sí? ¿Y qué estás escuchando?

–¡Lo que dice la ballenita! Acaba de responder a los *uoterflop* que su bálsamo azul le viene muy bien a su lomo.

—Se te debe de haber derretido el cerebro. Una dusig como tú no puede conocer el «ballenés».

—¡Pues claro que lo conozco! Por si quieres saberlo, te diré que domino un montón de lenguas animales: el «babosiano», el «jabálico», el «gansaresco», el...

—¡Venga ya! —la acalló Troncho—. ¿Y dónde los has aprendido?

—En la Escuela Mediaverde. El profesor Lin Cedro descubrió que yo tenía un don para hablar con los animales. Y por eso me enseñó. ¿Quieres una demostración? ¡Le voy a decir a la ballena que mueva la aleta izquierda y te chorree!

—¡Adelante! —la provocó el otro—. ¡Estoy deseándolo!

Lechuga apoyó la boca en el eslicuófono y comenzó a soplar en su interior intermitentemente, para que el agua borboteara. Un instante después, un chorro de agua salada empapó a Troncho de la cabeza a los pies.

Todos se quedaron de piedra, mirando a la duende como si la viesen por primera vez.

–¡Coles frescas! –exclamó Troncho, empapado–. Pero entonces ¡es cierto!

–¡Maravilloso! –dijo Flambus, emocionado–. Esto podría sernos de gran utilidad en el futuro. ¡Ánimo, Lechu, dinos lo que sucede ahí abajo!

Lechuga obedeció y tradujo sin esfuerzo el diálogo entre la ballena y los waterfolk que, por supuesto, conocían todas las lenguas del mar.

–Le están diciendo que esté tranquila…, que ahora intentarán empujarla por la cola como ha dicho el cabezaverde dentón –Troncho puso cara de ofendido–. Se llama Emmy… es una hembra… Está respondiendo que choca contra el fondo… le duele la tripa… ¡Eh! Ahora está canturreando. Se lo han dicho ellos: que trate de cantar. La ayuda a estar calmada… Oh… ha parado… no la oigo más… –advirtió Lechuga sacando el eslicuófono del agua.

–¡El mar también ha dejado de rebullir! –observó Troncho señalando la superficie.

–¿Qué ocurre? –preguntó Flambus preocupado.

–No lo sé, pero no me gusta nada… –fue el comentario de Didí.

No tuvieron que esperar mucho para descubrirlo: pocos segundos después, las cabezas de decenas de water-

folk salieron del mar como si fueran tapones de corcho y rodearon a la ballena. Por último apareció la duende de los cabellos color plata, miró al cetáceo con expresión desconsolada y luego se alejó nadando lentamente. Detrás de ella se formó una larga procesión de duendes acuáticos que se dirigían mar adentro.

—¿Qué están haciendo? –preguntó Flambus confuso.

—No quisiera decirlo, pero creo que se están marchando –opinó Didí.

Al oír esas palabras, Trogló se puso en pie de un salto y comenzó a llamar desesperado a la duende acuática que guiaba la procesión:

—¡Uga! ¡No ir! ¡Quedar! ¡Buga!

Pero ella no se dignó mirarlo.

—¡Eeeh! –intervino entonces Flambus, a pesar de que al principio se oponía a participar en el asunto–. ¿Dónde os creéis que vais? ¡Ese animal todavía os necesita! ¡Eeeh!

La reprimenda surgió efecto evidentemente, porque más de un waterfolk se volvió a mirarlo y espió dubitativo la reacción de la duende de pelo plateado. Al final, uno de los machos más cercanos se acercó a ella y le murmuró algo al oído. Ella hizo un gesto de enojo y, escoltada por dos robustos compañeros, volvió hacia los

dusig, se paró a una distancia de seguridad y los escrutó
como una gata salvaje.

—¿Quién te crees que eres, cabezaverde, para darnos
órdenes a nosotros? —chilló en dirección a Flambus.

El duende se quedó sin palabras, pero no Didí Culantrillo, que replicó con decisión:

—¡Tranquilízate, sirenita! Aquí nadie quiere darte órdenes. Os llamábamos solo porque estabais abandonando
a esta ballena en dificultades. Nada más. ¡Y no nos gusta
que nos llames cabezaverde!

La duende clavó sobre Didí dos ojos de fuego, pero
ella no era de las que bajan la mirada y la observó impasible hasta que la joven waterfolk se decidió a responder con los dientes apretados:

—Lo hemos intentado de todas las formas posibles, pero la ballena parece extenuada y no consigue colaborar. Es como si algo le impidiera moverse. Algún artilugio horrible inventado por los sinbranquias, ¡me apuesto lo que sea! —refunfuñó con rabia. Luego bajó la cabeza y concluyó con tristeza—: No podemos hacer nada más por ella.

Didí notó que se estaba aguantando las lágrimas y sintió haber empleado aquel tono. También Trogló se dio cuenta y el labio comenzó a temblarle por la emoción.

—A lo largo de la tarde el mar se retirará completamente y la ballena se quedará varada. ¡Por no hablar de los sinbranquias! —prosiguió ella secándose los ojos—. En cuanto se levante la niebla se darán cuenta de su presencia y llegarán en masa. No podemos quedarnos. Es demasiado peligroso… —concluyó girándose para volver al mar.

Flambus la detuvo por segunda vez.

—Espera, ¡te lo ruego! Yo ni siquiera quería venir a Bahía Gota, pero mis compañeros insistieron, y ahora que estoy aquí no quiero irme sin por lo menos haber intentado hacer algo. Quizá si unimos nuestras fuerzas podamos encontrar una solución. Y, además, no todos los

piernaslargas son peligrosos. Algunos son amigos nuestros y estarán aquí enseguida. Podrán echarnos una mano, te lo aseguro. ¿Qué dices de intentarlo de nuevo?

La duende acuática examinó a Flambus como si quisiera leer en su interior. Luego hizo que sus ojos violáceos, asaltados por las dudas, recorrieran al resto de sus compañeros, preguntándose por qué iba a fiarse de un puñado de inexpertos duendes terrestres. En cuanto vio que Trogló la miraba embobado y la saludaba con su mano peluda, decidió definitivamente que era un riesgo inútil.

Sacudió la cabeza y ya iba a sumergirse cuando Lechuga se zambulló en el agua vestida por completo y gritando con furia:

—¡Entonces eso quiere decir que seremos nosotros los que salvemos a esta pobre ballenita! ¡Váyanse, váyanse, señores *uoterflop* cobardes! ¡Mis amigos y yo nos quedamos aquí!

Llegó nadando a la ballena y comenzó a acariciarla con ternura, susurrándole palabras desde el agua. Troncho, más preocupado por su amiga que

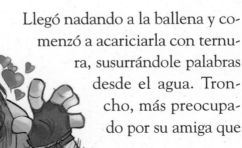

por la ballena, la siguió y lo mismo hizo Trogló que, olvidándose de que había estado a punto de ahogarse, se tiró al mar y se mantuvo a flote gracias a dos botellitas viejas de plástico que se puso bajo las axilas.

Los duendes acuáticos observaron confusos a aquellos tres seres de los bosques que se habían pegado a la ballena. La propia jefa de los waterfolk se quedó parada mirando la escena con curiosidad y permaneció un rato pensativa. Luego rompió el silencio:

—De acuerdo, dusig —dijo—. Vamos a intentarlo. Pero ¡tenéis que conseguir mantener a los sinbranquias lejos de aquí!

—¿También a nuestros amigos? —insistió Flambus—. Os garantizo que pueden ayudarnos.

—¿Tan convencido estás? —espetó la duende en tono retador—. Entonces diles que descubran qué ha hecho que este pobre animal perdiera el rumbo, y si, como estoy segura, es culpa de sus semejantes, ¡que hagan algo! Tenéis tiempo hasta esta noche. Mañana al alba nos iremos pase lo que pase. ¿Entendido?

—Entendido —asintió Flambus—. Te doy las gracias.

—Puedes llamarme Algariel, si quieres. Y vosotros, ¿tenéis nombre?

6.
El cuento de Pinocho

Las tímidas presentaciones que hubo a continuación quedaron bruscamente interrumpidas con la llegada de los tres piernaslargas que había anunciado Flambus. Pese a lo que dijeron los dusig para tranquilizarlos, los waterfolk desaparecieron a toda prisa bajo el agua. Pero, aun así, no fueron lo bastante rápidos.

—¡Por todos los morteros de Prusia! —exclamó Prescott apuntando con el dedo hacia el mar—. ¿Qué eran *esos?*

—Esos… ¿qué? —respondió el duende a cargo de la Célula Verde haciéndose el sueco.

—Vamos, Flambus —le animó Carlota—. Los hemos visto perfectamente.

Pero fue Didí la que acabó con todos los obstáculos al decir:

—Creo que a ellos se lo podemos contar, Flam. ¿No te parece?

El duende asintió pensativo.

—Los dusig —explicó entonces Didí— no son el único grupo de duendes existente. Hay muchos otros, esparcidos por todos los rincones del planeta: en el desierto, en los polos, en las montañas. Hasta en el mar.

—¡Lo que faltaba! —exclamó sorprendido Horacio Prescott.

—Se llaman *uoterflop* —añadió Lechuga satisfecha mientras se sacudía el pelo mojado.

—¡Waterfolk! —la corrigió Troncho—. Están aquí por la ballena.

—¡Fantasmagórico! —fue el comentario entusiasta de Timothy—. ¿Sabéis, por casualidad, si cantan?

—Ellos no sé, pero ¡la ballenita canta de fábula! —respondió Lechuga—. Acabo de oírla.

—Sí, ella entiende el «ballenés» —confirmó enfadado Troncho—. O, por lo menos, eso dice…

—¿De verdaaad? —reaccionó emocionado Tim—. Pero ¡si eso es una noticia estelar!

Lechuga hinchó el pecho, orgullosa, y relató:

—Acaba de cantar una canción muy triste. Decía así:

Éranse siete sábanas
que cantaban siempre solas,
nadando de madrugada.
Luna les contó una trola
y el loro no dijo nada.

—Bueno, la verdad es que no estoy muy segura… —admitió al final la duende rechonchita.

–Claro que no estás segura. ¡Como para estarlo! ¡Recitada así no significa nada! Repítela desde el principio.

Hicieron falta diversos intentos y varios gritos por parte de Troncho, pero por fin lograron reconstruir el texto original:

> *Éranse siete hermanas*
> *que cantaban entre ola y ola,*
> *nadando siempre en manada.*
> *Una las dejó muy solas*
> *y el coro no cantó ya nada.*

–¡Vaya maravilla! Pero ¿por qué no habré traído la grabadora? –se desesperó Timothy–. ¡Sería todo un puntazo poder incluir algo así en mi sinfonía acuática!

–Olvídate de tu sinfonía. Me parece que aquí hay un problema mucho más grave –le reprochó Carlota, señalando al gigantesco cetáceo.

–Y mucho más urgente –recordó Prescott–. Ya está bajando la marea y personalmente creo que sería mucho mejor advertir a la guardia costera. Tal vez consigan trasladar la ballena a mar abierto antes de que la bahía se quede seca por completo. Ya es cuestión de pocas horas…

—¿Y si los humanos empeoran la situación? —objetó Flambus—. ¿Por qué no dejamos que los waterfolk intenten algo primero?

—¿Que hagan algo unos duendes? —preguntó Prescott con los ojos abiertos de par en par—. Con todo el respeto, pequeño amigo, se trata de una ballena…

—Los waterfolk son habitantes del mar —intervino Didí con ánimo de ayudar—. Conocen estas costas como la palma de su mano y no sería la primera vez que intervienen en una empresa como esta.

—Acaban de ofrecernos su ayuda, pero solo a condición de que mantengamos a los piernaslargas lejos de aquí —explicó Flambus apesadumbrado.

—¿Y si no funciona? —insistió Prescott con perplejidad.

—Entonces dejaremos vía libre a los humanos.

—Pero podría ser demasiado tarde —concluyó el vigilante del Jardín Botánico mirando preocupado el nivel del agua—. Nosotros también tenemos que hacer algo.

—Efectivamente, hay una cosa que nos han pedido…
—asintió Flambus—. Quieren que descubramos por qué
este animal ha perdido el rumbo. Están convencidos de
que es culpa de los humanos.

—Es probable, pero ¿qué podemos hacer para saberlo?

En ese instante a Timothy se le iluminó la expresión
del rostro.

—Yo sé quién puede ayudarnos —dijo.

Se separaron poco después.

En la orilla de la bahía se quedaron Lechuga con su eslicuófono, Troncho con su sana testarudez y Trogló con su
corazón roto: ¡no se alejaría de Algariel por ninguna razón
del mundo! Flámbus y Didí regresaron al invernadero

montados sobre Quilber: él para procurarse unos cuantos víveres, ella para recoger algunas hierbas curativas del herbario que su padre le había regalado al licenciarse. «Si aquellas sustancias curaban a los duendes –pensó–, ¡probablemente también podrían ayudar a una ballena!».

Prescott, Tim y Carlota volvieron a sus respectivas casas para comer y quedaron después para ir juntos a buscar a la persona que creían que podría ayudarlos: Lester Lamprea, el oceanógrafo amigo del padre de los niños.

En cuanto los piernaslargas se marcharon, los waterfolk, según lo acordado, se pusieron en acción. Afortunadamente la niebla seguía formando un muro en torno a Bahía Gota y el trozo de mar próximo al puerto, lo que garantizaba a los duendes poder trabajar sin ser molestados.

Trogló miraba embobado los progresos de la pequeña sirena alrededor del cetáceo. Mientras, trataba de pronunciar su nombre, aunque con muy pobres resultados:

–Gralar… Garal… Aglar… Ragla…

–¡Danos un respiro, Trog! –le advirtió Troncho aburrido–. ¡Llámala «cabeza salada» y acabarás antes!

El duende le pegó un gruñido, mostrando sus dientes amarillentos. Luego se alejó hablando solo y se fue a limpiar la arena de basura.

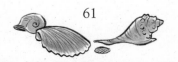

—Déjalo en paz, ¡pobre *Troglón!* —intervino Lechuga—. Por lo menos él hace algo. Yo me estoy aburriendo de lo lindo manita sobre manita. ¿No podría contarle un cuento a la ballenita? ¡Para subirle un poco la moral!

—Pues hazlo. Si te divierte poner la cabeza a remojo…

Lechuga se arrodilló en la orilla con su eslicuófono y comenzó a soplar en su interior. Al principio, los waterfolk parecían bastante disgustados por aquella intrusión, pero luego algunos se pusieron a escuchar el cuento y otro notó que cuando la cabezaverde se alejaba, aunque solo fuera un metro, la ballena rodaba con ella.

—Eh, duendecilla —la llamó al rato Algariel, apareciendo entre la espuma azul—. ¿Serías capaz de ir acercándote a la entrada de la bahía mientras continúas con tu historia? Parece que Emmy te sigue…

—¡Eso está hecho, señorita *Algapel!* Pero ¿usted no nota ese pitido molestísimo que se oye bajo el agua?

—No te preocupes por el pitido. Lo que me inquieta es la marea baja, por eso tienes que intentar moverte, ¿entendido?

—Eh, ¡deje de tratar a mi amiga así! —soltó Troncho con decisión, pero la duende acuática ya se había sumergido bajo el mar otra vez.

Lechuga abrió los ojos y miró a Troncho embobada.

–¿De verdad soy tu amiga? –preguntó.

–Claro –admitió avergonzado el duende–. A veces me haces rabiar, pero eso no importa. ¿Qué cuento le estabas contando a Emmy?

–El de Pinocho que termina en la tripa de la ballena, ¡claro!

–¡Bellotas ácidas! ¿Estás segura de que es el más apropiado?

–A ella le gusta mucho. Pero me ha explicado que las ballenas no se comen a los humanos. También les gusta el cuento a los *uoterflop*, ¿sabes? Dicen que no lo habían oído nunca –respondió la duende volviendo a soplar por su trompeta.

Por desgracia, el intento de hacer girar al cetáceo gracias a la voz de Lechuga tampoco funcionó. Los waterfolk se trasladaron agotados hasta la orilla.

—Yo creo que es culpa del pitido —insistió Lechuga.

—Ya te he dicho que eso no tiene importancia, cabezaver... mmm... Lechuga —rebatió la duende acuática—. Solo nos queda hacer una cosa...

—¿Y cuál sería? —preguntó Troncho dubitativo.

—Ha llegado el momento de pedir refuerzos... —respondió la otra sin dar detalles, mientras hacía un gesto a sus compañeros.

Unos segundos después, una decena de waterfolk se quitaban la concha de la cabeza, la apoyaban en el agua y soplaban dentro a pleno pulmón. En el exterior no se oyó ningún ruido, pero invisibles ondas sonoras atravesaron el mar directas hacia el horizonte. Solo las oyó Lechuga, con la oreja apoyada en su eslicuófono.

Pocos minutos más tarde, entre las olas se distinguieron unas grandes aletas dorsales que se dirigían veloces hacia Bahía Gota.

Trogló regresó precipitadamente a la orilla para ver el espectáculo, con otras dos botellitas de plástico rescatadas en la playa y con las que pensaba construirse un salvavidas.

—¡*Filfines*! —tartamudeó en cuanto los reconoció.

7.
Una Bellota en la frente

Adam Bubble preparó rodajas de merluza rebozadas para la comida del domingo.

Carlota y Timothy, quién sabe por qué, se las comieron sin ganas. Y eso que normalmente se volvían locos por ellas, sobre todo si iban acompañadas de una tonelada de patatas fritas.

Menos mal que de postre tenían flan, por el que ambos sentían verdadera pasión.

—Papá —preguntó Timothy al acabar—, ¿tú crees que puedo hablar con tu amigo Lamprea aunque sea domingo?

—¿Con Lester? Si las cosas van bien, ¡habrá dormido en el laboratorio! Solo piensa en el trabajo…

—Me recuerda a alguien… —ironizó Carlota mirando a su padre, antes de dar de comer a los peces del enorme acuario que ocupaba el centro del salón.

La costumbre de comer los domingos en el comedor la había introducido su madre antes de partir hacia su última expedición científica en Nueva Guinea, de la que no regresó. El resto de la semana comían en la cocina, deprisa, a menudo a horarios distintos.

—¡Se acabó! —dijo la madre un día—. Hay que comer bien por lo menos una vez a la semana. El domingo que viene cambiamos.

Y, aunque ahora fueran solo tres, la tradición continuaba.

—Entonces ¿le puedo llamar por teléfono? —volvió a preguntar Timothy.

—Claro que sí, le gustará. ¿Para qué lo quieres?

—Oh, por nada... He registrado en sus propios hábitats distintas muestras sonoras interesantes y quería que las escuchara. Creo que se trata de ballenas... —mintió Timothy, convencido de que si su padre conocía el verdadero motivo de la visita, no iba a dejarlos ir.

—¿Ballenas? ¡Fantástico! A mamá le gustaban muchísimo las ballenas: tan grandes y tan indefensas.

—Tan indefensas que los humanos las cazan con saña —precisó Carlota—. Me da una rabia...

—Ya —asintió Adam Bubble pensativo—. Lester está luchando con uñas y dientes para salvar a las ballenas. Llámale, se alegrará. Y díselo también al viejo Prescott. Creo que le caerá bien ese tipo...

Cuando Flambus y Didí alcanzaron a ver Bahía Gota por segunda vez, la niebla comenzaba a disiparse.

—¿Qué sucede ahí abajo? —dijo alarmado el duende, inclinándose sobre Quilber para ver mejor.

El rorcual estaba en el mismo sitio, pero, desde arriba, el espejo de agua que lo rodeaba era un rebullir de espuma blanca.

—Esos no pueden ser waterfolk —comentó Didí frunciendo la frente—. ¡Son de un tamaño mucho mayor!

Bajaron y aterrizaron cerca de la orilla, en un escollo que se asomaba al mar, desde el que Trogló, Lechuga y Troncho observaban excitados la misma escena.

—¡Hola, jefe! ¿Qué nos has traído para comer? —preguntó Troncho, que estaba muerto de hambre.

—Olvídate ahora de la comida —replicó Flambus con sequedad—, mejor dime qué está ocurriendo.

—Las cabezas sala… mmm… los waterfolk han pedido refuerzos, ¿fuerte, no?

—¡Son delfines, jefe! —explicó Lechuga sonriente—. ¡Un montón de delfinotes grandes

y fuertes! ¡Están tratando de empujar a la ballena fuera de aquí! ¡ÁÁÁNIMO, AMIIIGOS! –gritó la duende a punto de caerse al agua.

–¿Y lo consiguen? –preguntó Flambus agarrándola de un brazo a tiempo.

–No sabría decirlo… pero ¡no paran de dar saltos! Mira, jefe…

Flambus y Didí también quedaron encantados admirando aquel espectáculo de chorros de agua y lomos brillantes que se deslizaban entre la espuma blanca. De vez en cuando uno de los delfines daba un potente golpe de cola y saltaba fuera del agua superando en altura a la propia ballena.

—¡OOOLÉÉÉ! —gritaban a coro Lechuga y Troncho, como si estuvieran en una corrida.

Trogló también colaboraba, pero sobre todo no apartaba la mirada de Algariel que, sentada sobre uno de los cetáceos, capitaneaba la operación como un vaquero montado sobre su caballo. Si los demás hubieran observado bien a su amigo, se habrían dado cuenta por la expresión de sus ojos de que tenía algo en mente. De hecho, un poco después dio un paso hacia el borde de la roca y, en cuanto uno de los delfines pasó por debajo, saltó sobre su lomo al típico grito de «¡Uga-bugaaa!».

—¡Detente, Trog! ¡¿Te has vuelto loco?! —gritó Flambus en cuanto se percató.

¡Demasiado tarde! Fue igual que si un aprendiz hubiera montado un caballo de rodeo, porque el delfín comenzó a encabritarse y a saltar como un potro desbocado, en mi intento de tirarlo de todos los modos posibles. Trogló resistió unos segundos, agarrándose desesperadamente al cuello del cetáceo, hasta que este, de una vigorosa sacudida, le hizo volar de vuelta al escollo del que había partido. Si el objetivo del duende era hacer mella en Algariel, se puede decir que logró tal efecto, a la vista de la mirada furiosa que ella le otorgó cuando Trogló fue a parar a la playa. El cavernícola le hizo «¡hola-hola!» de nuevo con la mano y se desmayó. Didí

le ayudó a volver en sí y luego se quedó con él para curarle el chichón que tenía en la cabeza. Flambus, en cambio, bajó hasta la orilla y observó admirado a los delfines, que, alineados todos al mismo lado de la ballena, empujaban a la vez levantando altos chorros de agua con la cola.

—Pero ¿de verdad no hay nada que podamos hacer para ayudarlos? —se preguntó el duende, mientras observaba preocupado la niebla que ya se estaba levantando.

—Tal vez podrías convencer a los de aquella barca para que no vinieran aquí, jefe —sugirió Troncho señalando una pequeña embarcación a motor que se dirigía hacia la bahía.

—¡Rápido, Didí! —gritó Flambus—. ¡Llama a Quilber! ¡Despegue inmediato! ¡Trogló, saca el tirachinas, deprisa!

Prescott tenía cierta experiencia en cuestión de barcas. Cuando era un joven oficial del ejército había tenido que pasar algunos meses de adiestramiento en un cazatorpedero. Durante buena parte del viaje estuvo en la cocina, pelando patatas, pero el resto del tiempo le

obligaron a hacer un poco de todo, incluso llevar el rumbo y gobernar el timón. Exactamente lo que estaba haciendo ahora a bordo del *Oído Oceánico*, la barca-laboratorio del CIM. Adam Bubble había acertado: el capitán y el oceanógrafo enseguida se entendieron. Cuando los ojos de Lamprea lo vieron por debajo de su mata rizada de pelo negro y tras sus gafas gruesas como culos de vaso, le dijo: «¡Tiene usted cara de lobo de mar! ¡Le confío la embarcación!» y desapareció con Timothy bajo cubierta para manejar los sofisticados instrumentos electrónicos que permitían escuchar los sonidos de las profundidades. También él y el chiquillo se entendieron enseguida, tal vez a causa de aquella ropa tan variopinta que llevaban ambos y que les hacía tan similares.

Carlota se quedó con Prescott, con el objetivo de la máquina fotográfica enfocando al mar.

—Hemos llegado —anunció el capitán señalando la costa—. Ahí está Bahía Gota.

—¡Mira, Horacio! —gritó la chica empleando el teleobjetivo—. ¡Son delfines! ¡Acércate, rápido!

—¿Estás segura de que es lo prudente? La marea continúa bajando, ¡nos arriesgamos a acabar varados!

—Solo un poquito, por favor, ¡jamás voy a tener una ocasión así! —respondió ella haciendo fotos sin parar.

—De acuerdo… pongo el motor al mínimo y me acerco poco a poco…

Prescott estaba procediendo con la máxima prudencia cuando algo le golpeó en plena frente.

—¡Ay! —gritó el capitán mirando hacia arriba—. Pero ¿qué demonios sucede?

—¡No es posible! ¡Es una bellota! —dijo Carlota tomando el «proyectil» del suelo y mirando hacia arriba—:

¡Trogló! —gritó al fin, tras reconocer al pequeño cavernícola montado sobre su palomo, que tensaba el tirachinas y lo dirigía hacia ellos.

En cuanto oyó que lo llamaban, el duende se puso rojo como un tomate y comenzó a farfullar unas palabras para justificarse:

—Mí equivocado… ¡Buga! Perdón…

Algo más arriba, las caras de Didí y Flambus, que asomaban por detrás del cuello emplumado de Quilber, eran la auténtica imagen de la sorpresa.

—Pero ¿qué hacéis en una barca? —preguntó el duende.

—Estamos acompañando al profesor Lamprea, el oceanógrafo —respondió Carlota.

—¿Y dónde está?

—Abajo, con Timothy. Están escuchando el mar…

8.
Llegan los sinBranquias

Lamprea y Tim estaban agachados en la cabina llena de osciloscopios, manoplas y escalas graduadas.

—Esto es un pompanalizador espectográfico de circuitos fosfoiónicos —explicó el oceanógrafo al chico, que estaba alucinado—. Por medio de unos determinados hidrófonos de ventosa, puede localizar cualquier sonido en un radio de doscientos kilómetros desde el puerto de Futura. En otras palabras, si hay algo que molesta a nuestro cetáceo, ¡este cacharro lo pilla seguro!

—¡Hiperespacial! —exclamó Timothy excitado—. ¡Enciéndelo, Lampri, vamos!

—Con sumo placer... —respondió él, levantando el audio.

Una cascada de sonidos llenó el pequeño recinto, llevando a Timothy literalmente al éxtasis.

Lamprea cerró los ojos.

—¿Lo oyes? Ese es el canto de nuestra ballena… Está muy débil, no hay duda… Y ese *ping, ping, ping*… llega desde un lugar a por lo menos treinta kilómetros de la costa… Ahora ha desaparecido… No, ahí está… *ping, ping, ping*… Es un sónar, pero no el típico… Tiene una frecuencia insólita… Ultrasónica, ¡diría! Un momento… hay otro ruido… Es diferente… Y otro más… ¡Dios mío! Pero ¡¡cuántos hay?! Solo aquí cerca cuento… ¡doce!

—¿De dónde vienen? —preguntó Tim—. ¿Submarinos? ¿Barcos militares?

—No, lo excluyo. Ninguna unidad militar está navegando por aquí.

—¡Entonces?

—Pesqueros.

—¿Pesqueros? ¿Y para qué usan el sónar?

—Para localizar los bancos de arenques, aunque lo tengan prohibido. Llevamos tiempo detrás de ellos. La guardia costera también está avisada pero, en cuanto los ven llegar, desconectan y hacen desaparecer los aparatos. ¡Nadie sabe cómo!

—¿Y eso puede haber molestado a la ballena?

—Un sónar solo quizá no, pero doce al mismo tiempo para ese pobre animal son como martillazos en su cabeza. Habría que encontrar dónde los esconden y desconectarlos de una vez por todas. Pero no es fácil…

—Y el tiempo aprieta —puntualizó Tim.

En ese instante se oyó un estruendo, la barca chocó con un estrepitoso crujido y Tim y Lester fueron catapultados hacia delante para acabar tumbados todo lo largos que eran sobre el suelo de madera.

—¡Ay, vaya golpe! —se lamentó el chico masajeándose la cabeza—. ¿Qué ha pasado?

—¡No lo sé! —respondió Lamprea—. Solo espero que los instrumentos no se hayan estropeado…

Subieron al puente, donde se encontraron con Prescott, que maniobraba en vano con el timón.

—¿Qué sucede, capitán? —preguntó alarmado el oceanógrafo.

—Hemos encallado, ¡mundo cruel! Unos duen… ejem… unos pájaros me han distraído y no me he dado cuenta de que había muy poco fondo. La marea ya está muy baja…

—Vaya lata, ya estábamos llegando —dijo Carlota—. Mire allí, profesor…

—¡La ballena! —exclamó Lamprea—. ¡Se quedó ahí atrapada, pobrecilla! Y esos… ¡son delfines! —añadió reconociendo la

docena de aletas plateadas que giraba alrededor del rorcual–. ¿Qué hacen tan cerca de la costa?

—No lo sé, pero creo que no se quedarán mucho tiempo... –dijo Tim dándose la vuelta–. Mirad detrás de nosotros...

Todos se giraron: era evidente que a sus espaldas tres o cuatro embarcaciones se habían percatado ya de la presencia de los cetáceos, y probablemente también de la de la ballena, porque estaban emprendiendo decididas el rumbo de Bahía Gota.

—Dentro de unos minutos esto será un absoluto caos –sentenció el profesor agitando su espesa melena negra.

Flambus estaba desesperado. La llegada imprevista de los piernaslargas le había pillado por sorpresa. Eran demasiados y, aunque Trogló y él atacaron a las primeras embarcaciones a bellotazos, pronto llegaron muchas más hasta invadir la bahía.

Además, Algariel y los waterfolk ya se habían dado cuenta y, en cuanto la duende oyó el sonido de los primeros motores, dio orden a los suyos de emprender la retirada. Y también le dijo lo mismo a los delfines.

—¡Eh!, ¿qué estáis haciendo? —preguntó Flambus al verlos abandonar la zona.

—Se acabó, joven dusig. ¡Han llegado tus amigos sinbranquias! —le respondió ella con una sonrisita irónica.

—Esperad, ¡no os precipitéis! Quizá consigamos echarlos...

—Escúchame bien, Flambus Green —replicó Algariel fulminándolo con la mirada—. Ya no podemos hacer nada por esta ballena. Pero si no me obligas a perder más tiempo, quizá consiga salvar a mis compañeros y a estos delfines. Así que, ¡quítate de en medio y déjanos marchar!

A los cinco dusig que estaban sobre los acantilados no les quedó otro remedio que asistir en silencio a la larga procesión de waterfolk que abandonaba el lugar. Todos los duendes acuáticos, al pasar junto a la ballena, le acariciaban el lomo y depositaban en él un poco de marbálsamo. Los delfines, ejecutando grandes saltos, regresaron a mar abierto y desaparecieron en el horizonte.

—Trogló —dijo Flambus, que todavía no estaba dispuesto a rendirse—, sigue a Algariel desde arriba. Procura que no te vea. Quiero saber adónde van...

Sin hacérselo repetir, el duende se montó sobre Chof y, tras dos o tres intentos fallidos, consiguió despegar.

9.
El Plan
De FlamBus

Como era fácil de prever, en un periodo de dos horas Bahía Gota fue tomada por asalto literalmente.

Llegaron decenas de barcos por mar y decenas de personas por tierra: trabajadores del puerto, fuerzas del orden, viejos pescadores, guardia costera, autoridades, ecologistas, tropeles de periodistas y simples curiosos. Todos deseando admirar a una enorme ballena varada, quién sabe cómo y quién sabe por qué, en la playa de Futura.

Por suerte, las barcas tuvieron que detenerse bastantes metros antes de la entrada de la bahía, a causa de la marea baja, mientras que los que habían llegado por la costa pudieron aproximarse al cetáceo hasta tocarlo.

—¡Dejadla tranquila, pobre ballenita! —gritaba Lechuga desde su escondite entre los escollos, donde se había refugiado con los demás—. ¡Tiene la piel muy delicada!

Un rato más tarde, la policía obligó a la gente a alejarse y delimitó una zona a la que podían pasar muy pocos acreditados. Lamprea era uno de ellos y se llevó también a Prescott y a los hermanos Bubble, tras haber alcanzado la costa a pie caminando por la zona donde se había retirado el mar. Se acercó a la ballena, que estaba apoyada sobre uno de sus flancos, y les dio instrucciones a los que la cuidaban:

—Continuad mojándola, por favor; ¡tenéis que mantenerle siempre la piel húmeda!

—¡Resiste, pequeña! —le susurró Tim pasando muy cerca de ella. La ballena abrió un ojo y emitió un suspiro melancólico por su espiráculo.

Algo después, un relampagueo en los acantilados atrajo la atención de Carlota.

—¡Mira, Tim! —susurró a su hermano—. ¡Ahí!...

Aprovechando que Lamprea estaba muy ocupado tratando de hacerse escuchar por todos e impartiendo órdenes a diestro y siniestro, los dos niños se aproximaron disimuladamente al resplandor.

—¡Flambus! ¡Amigos! —exclamó Carlota en cuanto los divisó en la penumbra—. ¿Qué hacéis aquí? ¡Es peligroso!

—¡No podíamos dejar a Emmy sola! —replicó Didí—. ¿Habéis descubierto algo?

—Tal vez sí, pero los waterfolk... ¿dónde se han metido?

—Se han visto obligados a huir. Hay demasiada gente. Pero he enviado a Trogló para que les siga el rastro...

—Rápido, meteos aquí dentro —dijo Carlota mientras abría la bolsa de la máquina fotográfica que llevaba en bandolera—. Os llevaremos a un lugar seguro.

—¿Y la ballena?

—Necesitamos un plan, pero aquí no podemos pensarlo.

Flambus dudaba, aunque por fin se convenció de que por el momento no podía hacer nada más, así que se metió en la bolsa de Carlota, seguido por los demás.

Regresaron a donde estaba Lamprea y este les ofreció una ayuda inesperada.

–Oh, ¡estáis aquí! Escuchad, yo tengo que quedarme para coordinar las operaciones de socorro. Decidle a Prescott que, en cuanto suba la marea, regrese con el *Oído Oceánico* al puerto. No quiero que vuestro padre se preocupe. ¿De acuerdo?

Los hermanos Bubble no estaban muy convencidos, pero aceptaron. Se hallaban de nuevo todos juntos y, además, en una barca de lo más cómoda. Así que Tim

enseguida aprovechó para irse abajo a trastear con todos aquellos maravillosos aparatos. Didí tocó su silbo y el milano Quilber apareció de inmediato y se posó en la barandilla de popa. Lo mismo hizo poco después Almíbar, pero en este caso reclamado por el olor de la cabeza de pescado putrefacta que Troncho llevaba en el bolsillo para ocasiones como aquella. Solo faltaba Chof para que la flotilla estuviera al completo.

—¡Mirad! —gritó Lechuga de pronto—. ¡Ese es Trogló!

En efecto, un palomo gordo estaba apuntando peligrosamente hacia su barca. Troncho se quitó el sombrero y empezó a agitarlo hacia el ave para hacerse notar. Trogló lo reconoció, pero no tuvo tiempo de responder

porque Chof y él se empotraron contra el puente del *Oído Oceánico*.

También esta vez hizo falta algo de tiempo para que el duende pudiera liberarse de aquella maraña de pelos y plumas, pero estaba claro que tanto Trogló como el palomo eran más resistentes de lo que cabría imaginar.

—¿Has descubierto algo? —le preguntó Flambus ayudándolo a levantarse—. ¿Se han ido muy lejos?

—No, cerca... ¡Uga! ¡Llí... gruta! —respondió Trogló señalando la costa algo más allá de Bahía Gota.

—¡Sabía que no iban a abandonarnos! —concluyó Flambus golpeándose con el puño la palma de la mano.

La radio y la televisión se pasaron toda la tarde hablando de la ballena y de las operaciones de socorro para tratar de salvarla. Reportajes, entrevistas a expertos y a naturalistas, protestas de los ecologistas por la desaparición de las ballenas y la contaminación de los mares, ciudadanos que exigían que se dejara en paz a aquel pobre animal, otros que proponían soluciones de salvamento imposibles, el alcalde Ralph De Lillo que prometía ayuda y decía sentirse muy apenado por lo ocurrido.

En fin, cuantas más horas pasaban más aumentaba la confusión.

Sin embargo, a última hora de la tarde, los barcos se fueron alejando, las personas regresaron a sus casas y, poco después, Bahía Gota se quedó vacía. Las televisiones dijeron que los técnicos habían tomado una decisión: al día siguiente tratarían de levantar y trasladar al cetáceo con una grúa inmensa que montarían allí mismo. En torno al cuerpo inmóvil de la ballena permanecieron solo Lester Lamprea y unos cuantos voluntarios, además de un policía que se retiró enseguida para dormitar en su coche.

Solo el *Oído Oceánico*, a pesar de las órdenes impartidas por Lamprea, permanecía en el paraje: nadie de los presentes a bordo se veía con fuerzas para abandonar el lugar. Tim les hizo escuchar varias veces el lamento de la ballena y también el *ping, ping* del sónar que le martilleaba la cabeza, y les contó lo que le había dicho el oceanógrafo.

—Pero ¿por qué no se puede avisar a la guardia costera? —insistió Prescott.

—Sería inútil —explicó el chico—. Por lo que parece, los pescadores consiguen ocultar sus instrumentos en

cuanto los ven llegar. Nadie ha logrado averiguar todavía cómo lo logran...

—Mmm... —asintió pensativo el capitán, tratando como los otros de estrujarse el cerebro en busca de una solución.

Sin embargo, cuando el sol se escondió tras el horizonte, decidió que había llegado el momento de volver al puerto.

—¿A qué distancia has dicho que se encuentran los pesqueros? —preguntó entonces Flambus a Tim.

—A veinticinco kilómetros, mar adentro. Dirección sur-sudoeste.

—¿O sea? —preguntó nuevamente el duende, que no había entendido nada.

—¡Por ahí! —señaló el chico con el brazo extendido—. Siempre recto.

—¿En qué estás pensando, Flam? —quiso saber Didí, que lo conocía muy bien.

—Sabemos que, en cuanto ven a otros barcos que se aproximan, los pescadores ocultan sus aparatos, ¿verdad?

—¡Así es! Y también lo harían si nos vieran a nosotros.

—¿Y si no nos vieran?

—¿Qué quieres decir?

Flambus les contó lo que tenía en mente y a todos les pareció una buena idea. O, por lo menos, la única que habían tenido. Valía la pena intentarlo.

Así que tomaron rumbo sur-sudoeste y, en cuanto avistaron la flotilla de pesqueros, el viridius le rogó a Prescott que se detuviera.

—¡Eh! ¡Esos bribones ya han desactivado el sónar! —gritó Tim desde abajo—. ¡Es inútil acercarse más!

—Estoy de acuerdo —sonrió Flambus—, solo quería comprobar una cosa. Vire, capitán, como si su ruta fuese otra…

Entonces Prescott apuntó la proa de la nave hacia otra dirección y, una vez que estuvieron lo suficientemente lejos para que la flotilla se sintiera segura, Tim les informó de que habían vuelto a encender el sónar.

—¡Muy bien! —comentó Flambus impasible—. Ahora, señor Prescott, puede dejarnos donde le he pedido. Y vo-

sotros, amigos míos, estad preparados para el despegue inmediato…

Pocos minutos después, el *Oído Oceánico*, ya cerca de la costa, viró con decisión hacia el puerto mientras una gaviota, un milano y un palomo, montados por cinco duendes valientes, emprendían el vuelo desde la cubierta.

10.
¡Al ataque!

Los dusig se adaptan bastante bien a la oscuridad, aunque depende de qué *tipo* de oscuridad. Si, por ejemplo, es la de un bosque secular, no tienen ningún problema: se orientan con los reflejos de la luna sobre las cortezas, o con el olor del almizcle y el ulular de los búhos. Pero si se trata de la oscuridad de una gruta marina, donde no se oye nada más que el batir de las olas en los escollos, las cosas cambian.

–Estás seguro de que entraron aquí, ¿verdad, Trogló? –preguntó Flambus al tiempo que desmontaba de Quilber y miraba a su alrededor con prudencia.

–¡Uga-buga! –asintió con vigor el duende.

–Jefe… –gimió Lechuga–, tengo una briznita de miedo…

–Quédate junto a mí, Lechu –la consoló Didí pasándole un brazo por los hombros–. Ahora vamos a encender la luz… –y diciendo esto frotó contra la pared de roca una cápsula de madera de color amarillento. Esta crujió débilmente y ardió de pronto, iluminando la gruta con una llamita verdusca–. Semillas de licopodio… –explicó sin darle importancia a los otros duendes que la miraban estupefactos.

–¿Y vosotros qué hacéis aquí? –gritó una voz enfadada–. ¡Creía que ya no teníamos nada más que decirnos! –una figurita azulada con el pelo color plata se había asomado por detrás de una roca y los miraba con el ceño fruncido.

–¡La señorita *Algapel!* –exclamó Lechuga al reconocerla.

En cuanto la vio, Trogló suspiró profundamente y comenzó a repetirse: «¡Beeella! ¡Beeellísima!».

Por suerte, la waterfolk no lo oyó.

Sin embargo, sí oyó de sobra la respuesta de Flambus:

—¡Escucha, Algariel! Creo que sabemos qué es lo que asustó a Emmy e hizo que perdiera el rumbo. Era lo que tú decías: la culpa la tiene un aparato que usan los pescadores furtivos para dar con los bancos de peces, pero ¡acaba aturdiendo a las ballenas!

—¡Ah! ¿Qué te decía yo? ¡Malditos sinbranquias!

—Pero nosotros sabemos dónde se encuentran en este momento sus barcos de pesca ¡y juntos podemos tratar de neutralizar esos aparatos!

—¿De verdad? ¿Y qué quieres hacer?

—Yo… nosotros… ¡tenemos un plan! Y si colaboramos, hay grandes posibilidades de que tenga éxito…

—¿«Grandes posibilidades», dices? ¡Eres un iluso, Flambus Green! Aunque lográramos liquidar a los piernaslargas, ¿me quieres decir cómo vamos a sacar a la ballena de ese lugar? Ese pobre animal está al límite de sus fuerzas…

—Lo sé, pero la marea ha empezado a subir. Esto facilita las cosas.

—¿Y las barcas a la entrada de la bahía? ¿Y toda esa gente?

—Se han ido casi todos. Solo quedan unas pocas personas junto a Emmy. Podemos evitarlas fácilmente. ¿Qué dices?

La duende dudó. Miró por enésima vez a aquel grupo desconcertante de duendes terrestres que, a pesar de todo, no se rendía. Miró a sus compañeros, que habían salido del agua y aguardaban tan solo una orden suya para comenzar la labor. Y finalmente miró en su interior y pensó que valía la pena intentarlo.

—De acuerdo, joven dusig. Haremos lo que tú dices.

Apoyó de nuevo su caracola en el agua y sopló dentro, los suyos la imitaron de inmediato. Los delfines llegaron a los pocos minutos. Los waterfolk montaron sobre sus lomos y se dispusieron en filas detrás de Algariel.

—Condúcenos —le dijo la duende a Flambus mirándolo a los ojos—. Explícanos qué quieres que hagamos…

Era una noche sin luna, pero aunque la hubiera habido los pescadores no habrían tenido ni idea de lo que estaba a punto de suceder por encima y por debajo de ellos.

—¡Mira, Knut! ¡Un banco de delfines! —dijo un marinero asomándose por la borda del pesquero—. Pero ¿qué son esas cosas azules que tienen en el lomo?

—¿El qué? Yo no veo nada —respondió el otro entrecerrando los ojos para escrutar la oscuridad.

—¡Fuera! ¡Marchaos, bichos estúpidos! —dijo el primero tratando de echarlos—. ¡Cuándo comprenderán que tienen que mantenerse alejados de las redes! ¡No paran de enredarse en ellas!

Pero Knut no esperó a que se marcharan y lanzó un grito a los marineros que estaban en la cabina:

—¿Dispuestos a tirar las redes? ¡Los sónares indican que aquí abajo hay un montón de peces!

Flambus, que sobrevolaba la flotilla junto a los otros dusig, le envió a Algariel el aviso acordado; tres pitidos breves de silbo. En cuanto los oyó, la duende se sumergió para guiar a los delfines bajo los barcos de pesca. Una vez posicionados, los waterfolk se pegaron a los cascos gracias al poder adhesivo del marbálsamo (su función principal no era esa, pero ¡servía perfectamente para ello!). Los duendes se adhirieron con fuerza a las proas de los pesqueros y desde allí lanzaron su contraofensiva. Fue un juego de niños descubrir el cilindro rojo que salía de una pequeña trampilla bien oculta bajo la quilla.

—¡Ahí está el aparato que aturde a las ballenas! —murmuró Algariel bajo el agua—. ¡Acabemos con él!

La furia destructora de los waterfolk se desencadenó sobre los doce barcos de la flotilla: desgarraron aquellos aparatos criminales, los hicieron añicos y los enmarañaron hasta hacerlos desaparecer en un lío pringoso de marbálsamo. Sin embargo, en cuanto los instrumentos

de los sinbranquias señalaron que algo no marchaba, su reacción no se hizo esperar.

—¡Eh! ¿Qué pasa ahí abajo? —gritó uno de ellos desde la cabina de mando—. ¡Los sónares están haciendo cosas raras!

—¡Será culpa de esos malditos delfines! —respondió otro asomándose por la borda para mirar—. ¡No hay forma de que se enteren de que tienen que alejarse!

—¡Pues yo se lo voy a hacer entender! —gritó una especie de gigante cubierto por una enorme capa gris. Y diciendo esto, agarró una larga pértiga de madera y trató de asustar a los cetáceos dando unos tremendos golpes sobre la superficie del mar.

Al instante lo imitaron los pescadores de las otras embarcaciones, pero los delfines eran demasiado ágiles y rápidos para dejarse sorprender, y se alejaron lo necesario para no ser alcanzados.

Los sónares, sin embargo, no pararon de gemir y de chirriar como una freidora.

—¡Asquerosas bestias inmundas! —gritó el capitán del barco mayor—. ¡Han logrado estropearlo todo! ¡Dadles una lección!

Entonces los furibundos pescadores agarraron todos los arpones que tenían a bordo y comenzaron un verdadero tiro al blanco contra los pobres delfines, que, a la primera señal de peligro, se sumergieron en las profundidades del mar y desaparecieron de la vista.

Durante aquellos minutos de nerviosismo, los water-folk pudieron acabar su trabajo sin ser molestados, hasta que por fin, uno tras otro, los doce sónares ilegales –*ping*, *ping*, *ping*– callaron definitivamente.

En ese momento, para evitar otros daños, los sin-branquias decidieron batirse en retirada.

–¡Subid las redes, rápido! ¡Es mejor irse de aquí!

En cuanto los dusig vieron que los barcos retrocedían, se dejaron llevar por el entusiasmo, a lomos de sus aves. ¡El plan de Flambus había funcionado!

También los waterfolk salieron del agua, con los brazos alzados en señal de victoria. ¡Había sido incluso más fácil de lo previsto!

Pero Didí se dio cuenta enseguida de que algo no iba bien.

–¿Dónde está Algariel? –preguntó inquieta.

La buscaron por encima y por debajo de la superficie del mar, hasta que alguien vio relucir un trozo de su brillante vestido y lo recogió con la mano: de la duende acuática no había ni rastro.

Entonces, Trogló emitió un grito espantoso:

–¡AAAARG! –hincó los talones en los flancos de su palomo y partió veloz tras los barcos. Nadie trató de detenerlo.

Es más, los otros dusig también lo siguieron.

En ese instante los pescadores estaban vaciando los contenidos de las redes: peces de todas las dimensiones y

especies se debatían sobre cubierta mientras los hombres los separaban y tiraban de vuelta al mar aquellos que descartaban.

Trogló zigzagueó como un loco de un barco a otro, volando con Chof a pocos centímetros de las orejas de los marineros. ¡Por fin la avistó! Un energúmeno vestido de amarillo la acababa de encontrar y la tenía sujeta por una pierna mientras la observaba divertido.

—¡Eh! ¡Mirad lo que he pescado! ¡Un pez con el pelo de plata!

—¡Qué bonito! —dijo otro pescador acercándose—. ¿Me lo das? Mi hija se volvería loca por una cosita así.

—Ni hablar. ¡Lo he encontrado yo y yo me lo llevo a casa! —respondió el energúmeno de amarillo levantando a la duende por los aires como un trofeo. Algariel se mecía cabeza abajo, sin sentido.

Trogló no perdió el tiempo: cargó el tirachinas y atinó en pleno centro de la mano que agarraba a la duende.

—¡Ay! —chilló el hombre retirando el brazo. Algariel salió despedida por los aires, pero antes de caer sobre el puente, Trogló ya la había recogido al vuelo para alejarse a gran velocidad y dejar a los dos marineros con un palmo de narices.

—¿Qué era... eso? —preguntó el primero masajeándose la mano dolorida.

«Un minicavernícola con un tirachinas, montado sobre un palomo...», habría querido responder el otro, pero no le salieron las palabras.

11.

Sueños a Primera hora De la mañana

Entretanto, la marea había vuelto a bañar las costas de Futura y a llenar de agua Bahía Gota.

El primero en llegar fue Trogló, con Algariel entre sus brazos. Durante el aterrizaje, amenazó a Chof con retorcerle el cuello si fallaba en la maniobra. Quizá por miedo o quizá por habilidad, el caso es que el pobre palomo logró tocar tierra ¡permaneciendo milagrosamente en pie!

Cuando, uno tras otro, fueron llegando los demás duendes, todos estaban convencidos de que encontrarían allí a Emmy, liberada ya de aquel *ping, ping* ensordecedor, vivaz y rejuvenecida y dispuesta a zambullirse en el mar abierto. Sin embargo, no fue así: el largo pe-

riodo de inmovilidad, las horas fuera del agua y el aje-
treo de la gente la habían dejado sin fuerzas. El propio
profesor Lamprea, al que habían abandonado hasta los
dos últimos voluntarios, absolutamente agotados, ya
había perdido las esperanzas y, vencido por el frío, se había refugiado en el coche del policía para dormirse en el
asiento de atrás.

Waterfolk y dusig ya no sabían qué hacer: si quedarse
junto a la ballena extenuada o junto a Algariel herida,
y se movían constantemente de una a otra.

Trogló, que no se apartaba de su lado, había llevado a
la duende a un lugar resguardado de la bahía y, cuando
Didí se le acercó para echarle un vistazo, se quedó con
ella para velarla, mordiéndose las uñas con nerviosismo.

—Tiene una herida bastante fea en el brazo —murmuró en tono serio la doctora Culantrillo mientras abría su nuez de primeros auxilios.

Se daba perfecta cuenta de que sanar plantas no era lo mismo que sanar a los duendes (encima, acuáticos), pero no quedaban muchas alternativas.

—Sujétale el brazo, Trog. Los puntos van a dolerle un poco…

Sabiendo que Algariel estaba en las mejores manos, Flambus volvió junto a la ballena, escoltado por Lechuga, Troncho y decenas de waterfolk, que a esas alturas ya se fiaban de él.

—¡Ánimo, Emmy! —dijo, tratando de estimularla—. Esos ruidos que te molestaban tanto ya se han terminado. ¡Coraje! ¡Sal de aquí!

También Lechuga se puso a borbotear palabras de ánimo en su eslicuófono:

—¡Venga, ballenita! ¡Hazlo por mí! ¡Nada!

Mientras tanto, los waterfolk iban y venían a su alrededor, empujándola y tirando de ella. Pero el resultado siempre era el mismo: Emmy no se movía.

—No está muerta, ¿verdad, jefe? —preguntó Lechuga con tristeza.

Uno de los waterfolk apoyó la oreja en el flanco de la ballena e hizo un gesto tranquilizador con la cabeza.

–No, el corazón aún le late –confirmó Flambus–. Pero, por lo que parece, Emmy ya no tiene ganas de luchar…

Pasaron algunos minutos sin que sucediese nada: ni la ballena ni la duende acuática daban signos de recuperarse. Las estrellas que pespunteaban el cielo oscuro también asistían a aquella triste escena. Dentro de poco desaparecerían para dejar paso al sol.

¿Cómo podía ser que, tras tantos esfuerzos, «la hierba acabara pudriéndose», como dicen los dusig?

Flambus, absolutamente agotado, se sentó en los acantilados para contemplar el mar. Algo más tarde, Didí se reunió con él y se sentó a su lado.

–¿Cómo está Algariel? –preguntó el duende.

–Bien. Se curará deprisa.

–Qué pena no poder decir lo mismo de Emmy… –comentó él desconsolado.

–Has hecho todo lo que has podido, Flam –le animó Didí–. Como siempre.

–Pero no ha sido suficiente –rebatió él–. Como siempre.

Permanecieron en silencio, escuchando el murmullo de las olas que rompían en la playa. El cielo en el horizonte comenzaba a clarear. Ya se anunciaba el alba.

Un rato después, unos gritos quebraron el aire:

—¡Puajjj! Pero ¿qué es lo que pasa por tu mente, feo espécimen de dusig? ¡No me importa lo más mínimo que estéis acostumbrados a regalarles asquerosidades como esta a vuestras novias! ¡Llévate enseguida esta porquería pestilente, cabezaverde, más que cabezaverde!

—¿Algariel? —preguntaron a la vez los dos dusig mirándose a la cara. Luego se volvieron de golpe: la duende acuática estaba ahí, de pie, como si nunca le hubiera ocurrido nada, regañando al pobre Trogló, que, en un gesto de amor extremo, le había puesto entre las manos un ramo de… «flores marinas». Por lo menos, desde su

punto de vista. En realidad, se trataba de un montón de algas secas que el duende había recogido por la playa y a las que había tratado de revivir rociándolas con verdesavia. El resultado era una horrenda pasta verdusca y gelatinosa.

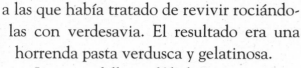

La waterfolk, enfadadísima, comenzó a perseguirlo mientras le tiraba el mejunje a la cabeza. Trogló trataba de esquivarlo saltando a derecha e izquierda, pero acabó pisándolo primero con un pie y luego con el otro, y empezó a resbalarse como si estuviera pisando hielo.

Lechuga no pudo evitar reír al ver las acrobacias de su compañero para mantenerse en pie.

—¡Bravo, *Troglón*! ¡Pareces un verdadero *patintador*!

—¡Se dice «patinador», boba! —le gritó Troncho, parando un momento de desternillarse de la risa.

Pese a todo, a Didí y Flambus también les pareció que la escena era muy cómica, aunque de pronto el viridius se levantó de un salto con la mirada en el vacío. Lo hacía a menudo cuando tenía una buena idea, y la que acababa de encendérsele en el cerebro debía de ser particularmente buena.

—¡Rápido! ¡Tenemos que recoger todas las algas que encontremos en la playa! ¡No podemos perder ni un minuto!

Los duendes acuáticos lo observaron perplejos e indecisos, sin saber si tomárselo en serio o no. Luego se giraron hacia Algariel en busca de una confirmación. Y esta llegó.

—¿Habéis oído al dusig? —gritó la duende, que parecía haber recuperado toda su energía—. Pues ¡poneos manos a la obra!

Fue un espectáculo fantástico. Un centenar de waterfolk comenzó a trabajar como las hormigas, acumulando en la orilla de Bahía Gota una montaña de algas secas. A pocos pasos de allí, los miembros de la Célula Verde tomaban entre sus manos aquellos filamentos sin vida y los hacían renacer con la fuerza de la verdesavia que manaba de la punta de sus dedos, hasta volverlos pegajosos y resbaladizos.

Pero nadie había comprendido todavía qué tenía en mente Flambus Green.

—¿Y ahora? —preguntó Algariel con impaciencia.

115

—Ahora es necesario meter las algas bajo la tripa de Emmy —respondió él, triunfante.

Hubo un momento de tensión. De repente, los duendes acuáticos entendieron y se pusieron a trabajar, redoblando esfuerzos y velocidad.

La misma Algariel se ofreció a dirigir la operación. Solo Lechuga y Troncho miraban aquel trajín con la inexpresividad de dos pescados hervidos (¡todo hay que decirlo!).

—Pero ¿se puede saber qué piensas hacer con esa pobre ballenita, jefe? —preguntó Lechuga.

—¿Quieres hacerle cosquillas en la tripa? —añadió Troncho, indeciso.

—¡Nada de eso! ¡Solo pretendo hacerla… patinar! —respondió Flambus saltando sobre el lomo de Emmy y gritando a los waterfolk—: ¡Rápido, ahora, empujad todos!

Las primeras luces del alba y la temperatura algo más suave despertaron a Lester Lamprea y al policía. El frescor había anquilosado sus huesos y el sol les daba en la cara, por eso no estuvieron muy seguros de lo que les pareció ver a contraluz. Tuvieron que frotarse los ojos

una y otra vez para convencerse de que no soñaban: ante sus miradas incrédulas, la ballena, varada hasta la noche anterior, iba deslizándose, empujada por decenas de pequeños peces azules, y superaba ya, sin ni siquiera mover la cola, la entrada de Bahía Gota ¡para llegar poco después a mar abierto!

Salieron deprisa del coche y corrieron a la orilla, con los prismáticos pegados a los ojos. Esperaban ver algo más, aparte de la ballena que había comenzado a nadar y se estaba alejando. Y sí entrevieron algo que se asomaba entre las olas oscuras.

«¡Qué extraño… –pensaron los dos–, que un pez tenga pelo plateado!».

Cuando sus compañeros de trabajo, la prensa y la televisión les pidieron que contaran exactamente lo que había sucedido allí y cómo había logrado la ballena regresar a mar abierto sin la ayuda de nadie, estuvieron casi a punto de decirlo.

Pero, por suerte, se lo pensaron mejor.

12.
¡Bienvenidos,
amigos del mar!

Aunque, al separarse de los dusig, los waterfolk decidieran permanecer unos días en la gruta de la costa (por lo menos, hasta el completo restablecimiento del brazo de Algariel), en cuanto Trogló regresó al invernadero cayó en un estado de profunda melancolía.

No solo no había causado ninguna impresión en la duende que le había roto el corazón, sino que además había logrado enfadarla con la historia de las algas. Así que se encerró en su casita del árbol y no quiso ver a nadie durante tres días. Cuando salió por fin del aislamiento, sobrevoló la costa a lo largo y a lo ancho para intentar llevarle un ramo de flores auténticas, pero no consiguió más que agotar al pobre Chof y acabar los dos

empapados en el agua junto con las margaritas que había recogido de los parterres del Ninfea Park. Luego explicó, a su modo, que una pareja de delfines, a las órdenes de quién sabe quién, lo había llevado a la orilla, pero el asunto jamás fue confirmado.

Horacio Prescott y los hermanos Bubble, en cambio, sí fueron premiados con una relación completa y entusiasta del salvamento de Emmy. ¡Ser amigo de los duendes tiene sus ventajas!

Por turnos, en el escenario de la mesa del «refugio», Flambus, Didí, Lechuga y Troncho narraron con todo tipo de gestos su heroica empresa, suscitando, según el caso, diversión o admiración.

El vigilante del Jardín Botánico, en particular, se hizo explicar la escena de las algas dos o tres veces y con cada repetición sus exclamaciones de sorpresa eran más y más entusiastas.

—¡Chicos —concluyó al final sacudiendo su cabello blanco—, lo que pagaría por podérselo contar a alguien y que me creyera!

—¡Y lo que yo habría dado por ver la cara del profesor Lamprea! —exclamó Timothy.

—¿Y qué me decís de la impresionante acción subacuática de los waterfolk? ¿No fue fantástica? —se rio divertida Carlota acariciando a Galveston y a Hipólita, que también escuchaban lo ocurrido con las orejas erguidas como antenas.

—A propósito de los waterfolk —intervino entonces Flambus—, ¿qué os parece si los invitamos a que nos visiten? En el fondo, nosotros abandonamos la tierra para ir al mar, ¿por qué no pueden ellos hacer lo mismo?

—¡Porque jamás se ha oído hablar de un waterfolk que se haya alejado del agua! —respondió Algariel con sequedad cuando Flambus fue a verla a la gruta para hacerle la propuesta.

—¿Y cuál es el problema? —insistió cándidamente el duende—. Si es por eso, tampoco se ha oído nunca que dusig y waterfolk colaborasen juntos para salvar a un cetáceo en peligro. ¿No podrías ser tú la primera?

En los ojos violáceos de la duende acuática se encendió una chispa de picardía.

En efecto, aquel asunto de la ballena había mejorado mucho las relaciones entre los dos grupos. Además, la herida de Algariel no había cicatrizado del todo y Didí le había dicho que podría medicarla mejor en su propia casa.

—¿Y dónde está tu casa? —le preguntó Algariel—. ¿En un bosque?

—Casi… —respondió Didí—. Un bosque construido por los piernaslargas o, si prefieres, los sinbranquias…

—¿Los sinbranquias? ¿Esos que estaban con vosotros?

—Esos mismos. Son muy distintos a lo que tú te crees ¡y te aseguro que se mueren de ganas de conocerte!

Cuando Trogló supo que Algariel, tras largas gestiones, aceptaba la invitación, se puso realmente de los nervios.

Desapareció con Chof durante un día entero y, a su regreso, descargó bajo su ficus una gigantesca montaña de cachivaches.

—¿Qué pretendes hacer con todo esto, *Troglón?* —le preguntó Lechuga con inocencia.

—¡Uga! ¡Mí prepara fiesta!

Y realmente preparó una gran fiesta. Para empezar recubrió su casita con papel de aluminio y cortinas de plástico. Decoró la fachada con una guirnalda de luces

navideñas que encontró en el «refugio» de Prescott y
que colgó de un lado a otro del tejado; luego construyó
escaleras de hiedra para trepar mejor hasta la copa del
árbol y pasarelas de corteza entrelazada para trasladarse
de unas casitas a otras de la aldea. Finalmente, en el
interior de su propia casa, trenzó guirnaldas con anillas
de latas, puso flores en la puerta y alrededor de las ventanas, y construyó dos cómodos silloncitos con una caja
de cartón y trozos de tela de flores.

El día en el que Didí y Flambus se fueron a buscar a
los waterfolk, montados sobre Alcántara y Quilber,
Trogló desapareció nuevamente de circulación.

Algariel se hizo acompañar por otros dos waterfolk
que se sentaron dubitativos sobre el milano de Didí,
mientras la duende se acomodaba detrás de Flambus.

Sobrevolando la ciudad, sus ojos miraban encantados el golfo de Futura: la grandeza del mar, visto desde arriba; la altura de las casas de los sinbranquias; las altas «olas» verdes del interior, cubiertas de árboles oscuros.

Nada más aterrizar frente al invernadero, lo primero que descubrieron fueron las estatuas de la fuente: se acercaron llenos de emoción.

—¿Qué hace ahí arriba el dios del mar? —preguntó Algariel dedicándole una leve reverencia a Neptuno.

—Bueno, no es exactamente el de verdad —trató de explicarle Flambus mientras los otros dos waterfolk pretendían reclamar la atención de las sirenas de piedra—, es solo una representación: los sinbranquias la llaman «estatua».

—¿Los tritones también son estatuas? —insistió la duende. Flambus asintió, pesaroso de tener que darle tal desilusión.

En ese momento se abrió la puerta del invernadero y aparecieron Troncho y Lechuga con guirnaldas de flores en torno al cuello, dispuestos a acoger a sus huéspedes. Lechuga trató de entonar una canción de bienvenida, pero Troncho le tapó la boca sin demasiados miramientos.

Luego, los saludó haciendo demostración de su pasión
por las rimas:

Bienvenidos, amigos del mar,
bienvenidos a nuestra tierra.
No es tan grande como vuestro hogar,
pero tiene el olor de la hiedra.

Algariel y los otros dos traspasaron el umbral con
miles de temores, a pesar de las continuas promesas de
Flambus y Didí. Luego treparon con ellos por las escaleras construidas por Trogló hasta llegar a la aldea suspen-
dida en el árbol y desde allí admiraron la
espesa selva tropical que se extendía
bajo aquellos techos de cristal. Flambus les estaba explicando cómo fun-
cionaban todos aquellos aparatos de
los piernaslargas cuando comenzó a
sonar desde la casa de Trogló una
música romántica. Luego se en-
cendieron las bombillas navideñas y se abrió la puerta. Por fin
apareció él, el más salvaje de los du-

sig, absolutamente irreconocible: iba vestido con un traje de color crema cuatro tallas más pequeño, como dejaban entrever las arrugas que la chaqueta le hacía en la tripa y los botones a punto de estallar. La camisa era azul oscuro y la corbata verde lagarto. En los pies llevaba unos botines rojos, puntiagudos, de piel de pitón sintética, y en la mano izquierda un enorme anillo de plástico. Pero lo más impresionante era el corte de pelo y de barba, que evidentemente Trogló se había hecho él mismo y que le daba un aire de prado mal segado, lleno de calvas y crestas.

El comentario más amable fue, como siempre, el de Lechuga, que se limitó a decir:

—¡Santa Clorofila! ¿Has acabado bajo un cortacésped, *Troglón*?

Los otros aguantaron la respiración espeluznados. Algariel soltó un grito y se refugió detrás de sus centinelas, a los que tras el primer susto les dio un ataque de risa.

Pero Trogló no era de los que se desaniman por tan poca cosa: avanzó decidido hacia la duende y por fin logró darle unas flores auténticas (en esta ocasión, rosas rojas, a las que les había quitado todas la espinas con paciencia). Era la primera vez que Algariel veía flores y

la primera que sentía su perfume. Miró a Trogló a los ojos y, en lugar de gritarle, dijo bruscamente:

—¡Gracias!

Fue más que suficiente para que el duende respirara de nuevo (hasta entonces había aguantado el aliento para entrar en la chaqueta) y eso hizo que se le saltaran los dos botones, que le dieron a los waterfolk en un ojo a cada uno. Luego Trogló se inclinó con torpeza, se tropezó con el dobladillo de los pantalones que se había cosido él mismo, perdió el equilibrio y se cayó del árbol con un grito salvaje. Por suerte, las anchas hojas de una palmera atenuaron la caída y él consiguió agarrarse a una de las ramas más bajas, donde se quedó meciéndose con una sonrisa beatífica sobre su rostro mal rasurado.

Nadie se preocupó demasiado. Didí hizo entrar a Algariel en su casa, examinó la herida y, a la vista de que ya había cicatrizado, le quitó los puntos definitivamente.

—Te quedará una cicatriz blanca muy tenue —le advirtió.

—Servirá para que recuerde esta aventura —replicó la duende acuática—. Pero ahora es necesario que regresemos al mar, siento que nuestra piel ya se está secando.

—¿No queréis conocer a nuestros amigos piernaslargas? —trató de detenerla Didí.

Algariel dudó un instante antes de responder:

—¿Estás segura de que podemos fiarnos?

—Como de mí misma —contestó Didí con seriedad.

—Entonces, de acuerdo. Estoy convencida de que será otra experiencia interesante.

Y lo fue. Para todos. Para Tim, Carlota y Horacio que, aunque ya no dudaban de la existencia de los duendes, todavía no estaban preparados para imaginar las demás especies que poblaban la tierra. Pero también para los waterfolk, que tuvieron que rendirse a la evidencia. Esa que Algariel sintetizó de maravilla:

—Flambus tenía razón, no todos los sinbranquias son iguales.

13.
Sinfonías acuáticas

Mientras los llevaban de vuelta al mar, Algariel no pudo evitar preguntarse si habría hecho bien aceptando que aquel niño, Timothy, escuchara sus canciones marinas y las conservara («grabarlas», había dicho él). O si había sido inteligente que Carlota capturase sus imágenes por medio de aquella caja negra con un solo ojo (aunque le hubiera regalado después una foto de ella con los dusig y los piernaslargas). Y, en definitiva, si había sido prudente subir con Trogló sobre su palomo tambaleante, que no parecía soportar muy bien el peso de los dos.

De todas formas, de un modo u otro llegaron a su destino en la gruta que se abría sobre Bahía Gota.

Waterfolk y dusig se despidieron ya sin ninguna desconfianza, dispuestos a colaborar de nuevo si había la necesidad.

Un instante antes de sumergirse bajo las olas, Algariel mandó un beso con sus cinco dedos a los duendes en vuelo. Trogló, convencido de que era solo para él, se desequilibró para atraparlo y se precipitó con Chof al agua. La carcajada argentina de la duende fue lo último que oyó antes de que Didí y Flambus planeasen para repescarlo.

Esa misma tarde, Timothy regresó a casa de su amigo Lester Lamprea, que le hizo escuchar las últimas grabaciones marinas de la semana.

—¿Lo oyes? ¡Ni un sónar en un radio de ochenta kilómetros! ¿Sabes tú algo?

—Tal vez hayan cambiado de zona de pesca… —dijo Tim haciéndose el tonto.

—O tal vez alguien los haya echado. Igual los mismos que liberaron a la ballena… —añadió pensativo el científico.

—¡A propósito de ballenas! —comentó Tim, cambiando prudentemente de conversación—. He venido a pedirte otra grabación de su canto. ¿Recuerdas mi proyecto de la sinfonía acuática? Necesito distintas muestras para mezclarlas con el sonido de los violonchelos.

—Encantado. Pero cuando esté acabada quiero una copia, ¿de acuerdo?

—¡Claro! Si quieres, te puedo proporcionar hasta la traducción de los cantos. Tengo una amiga que afirma entender el «ballenés». ¿No es la bomba?

Dos meses más tarde el disco de Timothy estaba listo. Podría haberse quedado en un estante de su habitación, junto al resto de sus experimentos sonoros, para que, como mucho, lo escucharan sus amigos, mayores y pequeños (por cierto: ¡a los dusig les gustó mucho!). Pero quiso la suerte que su padre también lo oyera, lo encontrase muy logrado y que, como hombre de negocios que era, le hiciese una propuesta:

—¿Y si lo sacamos al mercado? El dinero que consigamos podríamos emplearlo en proteger a las ballenas. ¿Qué te parece?

¿Qué iba a decir el pequeño Tim? Se quedó boquiabierto de la sorpresa y luego, una vez que estuvo seguro de que su padre no bromeaba, se le tiró al cuello de la emoción.

Tim trabajó un montón para llevar a cabo el proyecto e implicó en él a todo el mundo: su hermana hizo la foto y los dibujos de la carátula, su padre se encargó de buscar patrocinadores y organizar la venta, Lamprea y sus amigos oceanógrafos resolvieron el asunto de la publicidad a través del CIM, y, por supuesto, los dusig se ofrecieron a tirar desde el cielo los folletos publicitarios. En la trasera del CD reprodujeron

las palabras del último canto de Emmy, que Lechuga había podido escuchar apoyando su eslicuófono sobre el mar antes de que ella se marchara.

Tras numerosas repeticiones y correcciones de la duende, parece que decía así:

> *Éranse siete hermanas*
> *que cantaban entre ola y ola,*
> *nadando siempre en manada.*
> *Una se fue, pero regresó al poco.*
> *Y el coro volvió a cantar como loco.*

LA URRACA LADRONA

Noticias de Saviadoro

ÚLTIMA HORA

¡El embajador waterfolk
se encuentra en Saviadoro!
Tras la reciente y fructuosa
colaboración en el salvamento
de una ballena, se debate
la posibilidad de una nueva alianza.

El embajador
Plagus Oceandrón

¡DESENCUENTROS... ENTRE TITANES!
por Maeva Vincapervinca

Durante el primer encuentro con los representantes de
los waterfolk hemos descubierto que el mar es uno
de los hábitats más amenazados y que ellos, pobrecitos,
¡tienen un montón de trabajo que hacer! Las ballenas, por
ejemplo, no corren solo peligro de encallar en las playas.

Pasar página para continuar leyendo...

CRÓNICAS DEL MUNDO SUMERGIDO
POR MAEVA VINCAPERVINCA

¡DESENCUENTROS... ENTRE TITANES!

La amenaza más grave proviene de los «encuentros» con las gigantescas casas flotantes que los piernaslargas llaman «barcos» y que todos los días cruzan a millares las rutas de nuestras amigas, viajando a velocidades espantosas. Es una suerte que no todos los piernaslargas sean unos cabeza huecas y unos cuantos están dando vueltas ya a cómo resolver el problema: en la práctica, siempre que un barco avista a una ballena se lo comunica a los demás hasta que todos están informados sobre cuáles son las zonas del mar donde resulta más probable un encuentro-desencuentro con nuestras simpáticas

Una casa flotante
de los piernaslargas

amigas barrigudas para que puedan cambiar de rumbo.

VIDA EN LA PLAYA

Pero hay otro simpatiquísimo habitante de los mares que, por lo que parece, no lo pasa muy bien. Nos referimos a la tortuga marina. Su única amenaza no proviene del mar, donde debe resguardarse de las redes y los anzuelos de pesca, sino también de la tierra, pues allí transcurre una breve (aunque fundamental) fase de su vida. por desgracia, tanto las tortugas como los seres humanos se decantan por las playas arenosas y cálidas: las primeras porque en ellas sus huevos eclosionan con facilidad, y los cabeza huecas de los piernaslargas por razones evidentemente mucho menos esenciales... ¿Cómo os sentiríais vosotros si en vuestro nido construyeran hoteles y calles, y plantaran sombrillas? Este es el motivo por el que uno de los acuerdos de colaboración con los waterfolk tiene en cuenta justamente la protección de los huevos de nuestras amigas.

Una tortuga marina que «vuela» bajo el agua

¡TOQUEMOS CON LOS WATERFOLK!

¿Sabíais que los waterfolk, al igual que nosotros los dusig, son unos músicos apasionados? Solo que, en lugar de nueces y bellotas, emplean conchas y caracolas para fabricar sus instrumentos. ¿Queréis saber cómo?

Las mismas caracolas retorcidas que utilizan para cubrirse la cabeza, por ejemplo, les sirven también como silbatos (¡algo parecido a nuestros silbos!). Las mejores para ese fin son las que tienen el borde plano, porque son más fáciles de apoyar en los labios, pero en realidad hay muchas que van bien: los waterfolk se limitan a cortarles la punta (ver figura A). Para que suenen, soplan con fuerza por el agujero y modulan el sonido apretando o abriendo los labios y soplando con mayor o menor intensidad.

A

Emplean otras caracolas para fabricar sonajeros. Para esto las mejores son las que tienen orificios naturales, como las «orejas de mar» (ver figura B).

Si no se consiguen, basta con practicar un pequeño agujero, eligiendo las valvas menos resistentes (los mejillones, por ejemplo. ¡Las almejas, en cambio, son durísimas!). Una vez agujereadas, se ensartan en una cuerdecita para llevarlas en la mano o atárselas a los tobillos, el cuello, las muñecas (una divertida variante dusig podría ser colgar los sonajeros de las ventanas, dejando que sea el viento el que los haga sonar).

B

Por último, frotando dos conchas rugosas y abriendo y cerrando las manos al mismo tiempo, los waterfolk logran producir sonidos que recuerdan el chirrido de los insectos y el croar de las ranas y los sapos.

EL LIBRO DE LA ARENA

Animaos a pasear por la playa a primera hora de la mañana: ¡encontraréis un montón de huellas curiosas! Por ejemplo, ¿sois capaces de acertar el nombre de los animales a los que pertenecen los siguientes rastros?

GAVIOTA – TORTUGA MARINA
CONEJO SILVESTRE – ZORRO

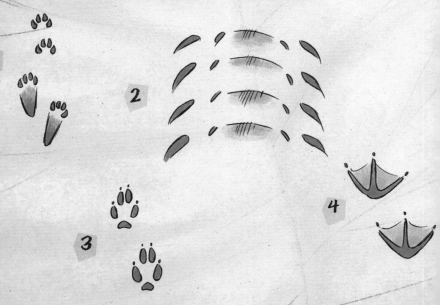

Soluciones: 1. Conejo silvestre, 2. Tortuga marina, 3. Zorro, 4. Gaviota.

CUANDO EL SÓNAR NO BASTA

Nuestro amigo delfín quiere reunirse con los peces, evitando lanchas y redes de pesca. ¿Vosotros qué pista submarina creéis que debe seguir?

A

B

C

Soluciones: La pista adecuada es la A. La B, en cambio, lleva a la lancha, mientras la C conduce a la red.

ÍNDICE

1. Chof 11

2. Las ballenas no son peces 19

3. ¡Todos a Bahía Gota! 29

4. Encuentros subacuáticos 38

5. Hablando «ballenés» 46

6. El cuento de Pinocho 55

7. Una bellota en la frente 66

8. Llegan los sinbranquias 77

9. El plan de Flambus 83

10. ¡Al ataque! 96

11. Sueños a primera hora de la mañana 109

12. ¡Bienvenidos, amigos del mar! 120

13. Sinfonías acuáticas 132

14. La Urraca Ladrona 137

¿Quién es Roberto Pavanello?

Existe un dicho ruso que reza más o menos así: «En la vida no lo has hecho todo si no has estudiado, has plantado un árbol, has tenido un hijo y has escrito un libro».

No sé si es cierto, pero salvo plantar un árbol, en lo demás «progreso adecuadamente»; de hecho, mi mujer y yo tenemos tres hijos ya.

Y por culpa de ellos comencé a escribir.

Roberto con dos años y medio delante del plato al que debe el apodo de «Pastasciutta» (Pasta)

En realidad, comencé leyéndoles las historias de otros, en voz alta: simulaba las distintas voces de los personajes, los ruidos, las expresiones y percibía, por sus caras, si mi forma de contar era eficaz o no. Para alguien como yo que se ha dedicado siempre al teatro no resultaba difícil. Lo verdaderamente difícil era encontrar historias adecuadas para leer en voz alta, por eso comencé a inventarlas yo. Hasta que mi mujer me sugirió que las escribiera y se las pasara a alguien para que las leyera. Y así nacieron mis libros.

Será por eso por lo que, aún hoy, cuando escribo, empleo sobre todo las orejas y los ojos... No en el sentido de que me ponga la pluma en un ojo o en una oreja, ¡por favor!, sino por el hecho de que pienso siempre en vosotros, queridos amigos lectores, en vosotros que escucharéis el sonido de mis palabras y veréis las situaciones que yo imaginé. Solo lamento no estar ahí para ver qué efecto os produce, si habéis captado las bromas, si he logrado atraparos.

Roberto Pavanello

En una ocasión, cuando le preguntaron a Roald Dahl cómo se le ocurrían las ideas para sus libros, respondió: «Es sencillo: yo sé lo que les gusta a los niños». ¡Cómo me gustaría poder responder como él!

Y, ahora, disculpadme, pero debo ir a plantar un árbol.

P.D: Si queréis, podéis escribirme a:
www.robertopavanello.it

¿Quién es Stefano Turconi?

Stefano con tres años

Cuando era pequeño todos mis amigos querían ser pilotos de robots, yo en cambio soñaba con ser campesino, porque me gustaban los animales y mi serie de dibujos animados preferida era Heidi.

¡Lástima que sea tan perezoso! Me gusta despertarme tarde y, cuando descubrí que en una granja hay que levantarse al amanecer y se trabaja todo el día, ¡imaginaos qué drama! Cambié de idea rápidamente. Me gustaba dibujar, y pensar que lo único cansado sería sacar punta al lápiz resultaba tentador. Por eso decidí ser ilustrador.

Ahora vivo con mi mujer (guionista de cómics, ¡qué coincidencia!) y con Viola, nuestra hija. En mi tiempo libre me gusta hacer bricolaje con madera y arcilla, caminar por la montaña y viajar a lugares lejanos. Me gustan los quesos malolientes, los fiambres grasos, el helado de stracciatella y la sopa de pescado a la livornesa. ¡Ah, he logrado el sueño de despertarme tarde por las mañanas! La pena es que después me toca pasarme todo el día anclado a la mesa de dibujo. Igual, ser piloto de robot…

Stefano Turconi

1. UN DUENDE EN LA CIUDAD

El viejo Jardín Botánico de Futura está a punto de ser destruido y el único modo que Flambus y sus amigos tienen para salvarlo es cerrar una alianza ¡con tres «piernaslargas» muy especiales!

2. OPERACIÓN BALLENA

Una ballena pierde la orientación y encalla en una bahía cercana al puerto de Futura. ¿Qué plan tramarán Flambus y sus amigos para liberarla antes de que sea demasiado tarde?